孔子学院总部/国家汉办
Confucius Institute Headquarters (Hanban)

"十二五

MW00636853

New Concept
CHINESE

新概念汉语

练习册4

Workbook 4

英语版

崔永华　主编

北京语言大学出版社
BEIJING LANGUAGE AND CULTURE
UNIVERSITY PRESS

本书是《新概念汉语》第四册的练习册，配合《新概念汉语》第四册课本学习、使用。

本练习册可以按以下方式使用：

（1）课后使用。学生在复习完课本的内容后，书面完成练习册中的各项练习。

（2）课堂使用。课时充裕的班级，可以在教师指导下完成。这样做的好处是可以提高练习的效率，减少错误，节省学生的时间。

（3）课堂和课后结合使用。课堂上，先在教师的指导下口头练习，然后学生在课后书面完成。这样既可以提高练习的效率、减少错误，又可以节省课堂时间。

（4）各项书写练习，有汉字书写能力的学生，尽量用汉字完成；还不具备汉字书写能力的，可以用汉语拼音完成；也可以汉字和汉语拼音混合使用。

本练习册包括以下6种练习：

（1）词汇练习

帮助学生复习、巩固本课学习的新词语。强调对生词的音、形、义的理解、记忆，以及生词的用法。

（2）语法练习

帮助学生复习、巩固本课学习的语法点。学生可以通过自己的思考进行选择、组织、补充，用本课的语法点生成有用的、有意思的短语或句子。

（3）听力练习

帮助学生复习、巩固本课所学的词汇和语法点。将本课新词语和语法点放在具体的语境（短句、对话）中，学生先听，然后理解并在备选答案中做出选择。

（4）汉字练习

每课都有汉字练习，或选字填空，或看拼音写出相应的汉字，或用所给汉字组词。希望学生通过这些练习能够记住一些常用的汉字字形、字音和字义。此外，每课还有两个听写句子，让学生边听边用汉字写出句子。

（5）交际练习

有看图或根据提示词语完成对话，也有根据实际情况回答问题。目的是让学生在给定的语境下，用所学的词汇、语法点和表达方式进行交际练习。

（6）语篇练习

本项练习有两种形式：一是语句排序，让学生学习汉语语段的结构；二是完成一段话，让学生用所学词汇、语法点和表达方式，按照汉语的表述习惯，较完整、得体地表达或叙述一件事情。

学好一门外语，必须进行大量的练习。本练习册设计了形式多样的词汇练习、语法练习、汉字练习，以及听力练习、交际练习、语篇练习。这些练习内容上尽量做到有用、有意思、有意义，贴近实际。学生通过这些练习，可以更好地理解、记忆并掌握所学内容。

本练习册中的大部分练习毕竟是"操练"，学好并掌握一门外语还需要靠"用"，即所谓"在用中学"。希望学生能够寻找并抓住各种机会，用汉语跟老师、跟同学、跟中国人进行真实的交际，这样你们的汉语一定能学得又快又好。

New Concept

CHINESE

总 监 制：许 琳

监 制：夏建辉 戚德祥

张彤辉 顾 蕾 王锦红

顾 问：[法]白乐桑 邓守信 [日]古川裕

[美]姚道中 [英]袁博平

审 订：刘 珣

主 编：崔永华

副 主 编：张 健 彭志平

编 者：彭志平 于 淼 李 琳

英文翻译：孙玉婷

英文审订：余心乐

Guide to the Use of the Workbook

This is Workbook 4 of *New Concept Chinese*, matching Textbook 4.

This workbook can be used in the following ways:

(1) After class: Students do the exercises in the workbook in writing after reviewing what has been learned in the textbook.

(2) In class: For classes with plenty of time, the exercises in the workbook can be completed under the guidance of the teacher, which helps improve efficiency, reduce mistakes and save students' time.

(3) Both in and after class: Students can first do the exercises orally in class under the guidance of the teacher and then complete them in writing after class, which can improve efficiency, reduce mistakes, and save time in the classroom.

(4) For the written exercises, students capable of writing Chinese characters should try their best to complete them in Chinese characters; students incapable of writing Chinese characters can complete them in Chinese *pinyin*; they can also make a mixed use of Chinese characters and Chinese *pinyin*.

The exercises in this workbook fall into six types as follows:

(1) **Vocabulary Exercises:** This part helps students review and grasp the new words learned in each lesson, stressing students' understanding and memory of the pronunciation, form and meaning of each new word, as well as its use.

(2) **Grammar Exercises:** This part helps students review and grasp the grammar points learned in each lesson, enabling them to make choices, organize phrases, add examples and use the grammar points to generate useful and interesting phrases or sentences.

(3) **Listening Exercises:** This part helps students review and grasp the vocabulary and grammar points learned in each lesson. The new words and grammar points are placed in specific contexts (short sentences and dialogues) for students to listen to and then answer multiple-choice questions based on their comprehension.

(4) **Exercises on Chinese Characters:** Every lesson is provided with exercises on Chinese characters, such as filling in blanks, writing characters based on *pinyin*, or making words with the given characters, in the hope that students, through doing these exercises, will remember the form, pronunciation and meaning of some common Chinese characters. Besides, in each lesson there are two dictation sentences for students to write them down in Chinese characters.

(5) **Communicative Exercises:** Exercises in this part mainly include completing dialogues based on pictures or prompts and answering questions based on real situations, aiming to train students' ability to use the vocabulary, grammar points and expressions they've learned to communicate in the given contexts.

(6) **Textual Exercises:** This part includes two types of exercises. One is putting sentences in order, which helps students learn the structures of Chinese discourses; the other is completing a paragraph, which requires students to express or narrate an event idiomatically and in a relatively complete and appropriate way using the vocabulary, grammar points and expressions they've learned.

Students need to do a great many exercises to learn a foreign language well. This workbook provides a good variety of exercises on vocabulary, grammar and Chinese characters as well as listening, communicative and textual exercises, all of which are made as useful, interesting and meaningful as possible to help students better understand, remember and grasp what they've learned.

Nevertheless, it should be remembered that the majority of the exercises in the workbook are merely drilling practice. The best way to learn a foreign language is to use it. If the students can seek and seize every opportunity in real life to communicate in Chinese with their teachers, classmates and other Chinese people, they will learn Chinese fast and well.

目录

Contents

孔子
Confucius

一 词汇练习 Vocabulary Exercises

1. 选词填空并朗读。 Choose a word to fill in each blank and then read the sentences aloud.

> kāibàn kāishǐ
> a. 开办 b. 开始

Zhè jiā gōngsī shì shí nián qián zuò shēngyi de, xiànzài shēngyi tèbié hǎo.
(1) 这 家 公司 是 十 年 前＿＿＿做 生意 的，现在 生意 特别 好。

Shí nián qián, Lǎo Zhāng le zhè jiā gōngsī, xiànzài shēngyi tèbié hǎo.
(2) 十 年 前，老 张＿＿＿了 这 家 公司，现在 生意 特别 好。

> yóu bèi
> a. 由 b. 被

《Xīn Gàiniàn Hànyǔ》 Běijīng Yǔyán Dàxué Chūbǎnshè chūbǎn.
(3)《新 概念 汉语》＿＿＿北京 语言 大学 出版社 出版。

Zuótiān wǒ de qián xiǎotōu tōuzǒu le.
(4) 昨天 我 的 钱＿＿＿小偷 偷走 了。

> jìzǎi xiě
> a. 记载 b. 写

Zhè běn shū shì wǒ de yí ge hǎo péngyou de, tā bǎ tā sònggěile wǒ.
(5) 这 本 书 是 我 的 一 个 好 朋友＿＿＿的，她 把 它 送给了 我。

Zhè běn shū hěn yǒu yìyì, tā le jīngjù de fāzhǎn lìshǐ.
(6) 这 本 书 很 有 意义，它＿＿＿了 京剧 的 发展 历史。

2. 选词填空并朗读。 Choose a word to fill in each blank and then read the sentences aloud.

> xuéwen zūnchēng tíchū fāzhǎn shēnyuǎn zhǔzhāng
> a. 学问 b. 尊称 c. 提出 d. 发展 e. 深远 f. 主张

Lǎo Zhāng rènwéi yīnggāi kāibàn yì suǒ xuéxiào, Lǎo Wáng què kāibàn yì jiā gōngsī.
(1) 老 张 认为 应该 开办 一 所 学校，老 王 却＿＿＿开办 一 家 公司。

Jiǎngzuò jiéshù de shíhou, Mǎ jiàoshòu le yí ge wèntí, ràng dàjiā hǎohāor xiǎngxiang.
(2) 讲座 结束 的 时候，马 教授＿＿＿了 一 个 问题，让 大家 好好儿 想想。

Wǒ juéde nà wèi lǎorén hěn yǒu wǒmen qù wènwen tā ba.
(3) 我 觉得 那 位 老人 很 有＿＿＿，我们 去 问问 他 吧。

Zhè suīrán shì yí jiàn xiǎo shì, dàn yìyì shífēn .
(4) 这 虽然 是 一 件 小 事，但 意义 十分＿＿＿。

"Fūzǐ" shì yǐqián rénmen duì lǎoshī de .
(5) "夫子"是 以前 人们 对 老师 的＿＿＿。

Zhège chéngshì de hěn kuài, wǒ zhǐ líkāile bàn nián, jiù yǐjīng bú rènshi zhèli le.
(6) 这个 城市＿＿＿得 很 快，我 只 离开了 半 年，就 已经 不 认识 这里 了。

3. 连线并朗读。Match and read aloud.

思想

(1) 交流   会议

(2) 举办   郁闷

(3) 感觉   情感

比赛

经验

4. 下边的表格是关于孔子的个人信息，请根据相关内容完善表格。Complete the following form about Confucius based on the hints given.

	biānzuǎn	shēnyuǎn	Kǒng Qiū	zūnchēng	Rújiā sīxiǎng	sīxiǎngjiā、 jiàoyùjiā
	a. 编纂	b. 深远	c. 孔丘	d. 尊称	e. 儒家思想	f. 思想家、教育家

姓名	_____
_____	孔子
职业	_____
思想	_____
《论语》	由学生_____
影响	_____

二 语法练习 Grammar Exercises

1. 用"由"对下列句子提问并回答，然后朗读。Ask and answer questions about the following sentences using "由" and then read aloud.

Zhège wèntí shì Lǎo Liú tíchū de.
(1) 这个问题是老刘提出的。

→ 这个问题是由老刘提出的。 / Zhège wèntí shì yóu Lǎo Liú tíchū de.

Wǒ de gǎnmào shì tiānqì yǐnqǐ de.
(2) 我的感冒是天气引起的。

→ _____

Jiǎgǔwén shì Wáng Yìróng fāxiàn de.
(3) 甲骨文是王懿荣发现的。

→ _____

Xuéxiào de qíngkuàng, míngtiān Fāng xiàozhǎng gěi dàjiā jièshào.
(4) 学校的情况，明天方校长给大家介绍。

→ _____

Zhè bù diànshìjù, xià ge Xīngqīyī Běijīng Diànshìtái bōchū.
(5) 这 部 电视剧, 下 个 星期一 北京 电视台 播出。

→ _____

Jìzhě de wèntí, yíhuìr Kǒng mìshū huídá.
(6) 记者 的 问题, 一会儿 孔 秘书 回答。

→ _____

2. 根据提示词语, 用"X对Y产生影响"完成句子。Complete the sentences using "X对Y产生影响" based on the hints given.

nà běn shū   Ānni   shēnyuǎn   le
(1) 那 本 书   安妮   深远   了

→ _____

háizi   fùmǔ de jiàoyù   hěn dà   huì
(2) 孩子   父母 的 教育   很 大   会

→ _____

bù hǎo   értóng de fāzhǎn   huì   jīngcháng wánr diànnǎo
(3) 不 好   儿童 的 发展   会   经常 玩儿 电脑

→ _____

le   nàge xiǎo nánháir   lǎoshī shuō de huà   hěn dà
(4) 了   那个 小 男孩儿   老师 说 的 话   很 大

→ _____

nà jiàn shìqing   zhòngyào   gōngsī   le
(5) 那 件 事情   重要   公司   了

→ _____

zhòngyào   xiàndài kēxué fāzhǎn   Zhāng jiàoshòu de yánjiū   le
(6) 重要   现代 科学 发展   张 教授 的 研究   了

→ _____

3. 用"由"和"X对Y产生影响"把下面两个句子合并成一句, 然后朗读。Combine two sentences into one using "由" and "X对Y产生影响" and then read the new sentences aloud.

Kǒngzǐ tíchūle "wēngù-zhīxīn" de sīxiǎng. "Wēngù-zhīxīn" de sīxiǎng duì Zhōngguó shèhuì de yǐngxiǎng
(1) 孔子 提出 了 "温故知新" 的 思想。"温故知新" 的 思想 对 中国 社会 的 影响
hěn dà.
很 大。

→ _____

Zhè jiā chūbǎnshè chūbǎnle 《Zhōngguó gōngfu》. 《Zhōngguó gōngfu》 duì wǒ yǐngxiǎng hěn dà.
(2) 这 家 出版社 出版 了 《中国 功夫》。《中国 功夫》 对 我 影响 很 大。

→ _____

Yuán Lóngpíng péiyùle zájiāo shuǐdào. Zájiāo shuǐdào duì shìjiè liángshi shēngchǎn de yǐngxiǎng bù xiǎo.
(3) 袁 隆平 培育了杂交 水稻。杂交 水稻 对世界 粮食 生产 的 影响 不小。

      → _____

Běijīng jǔbànle guójì huánjìng huìyì. Guójì huánjìng huìyì duì bǎohù huánjìng de yǐngxiǎng hěn shēnyuǎn.
(4) 北京 举办了国际 环境 会议。国际 环境 会议 对保护 环境 的 影响 很 深远。

      → _____

Kǒngzǐ de xuésheng biānzuǎnle《Lúnyǔ》. 《Lúnyǔ》duì Zhōngguó shèhuì fāzhǎn de yǐngxiǎng shífēn shēnyuǎn.
(5) 孔子的 学生 编纂了《论语》。《论语》对 中国 社会发展 的 影响 十分 深远。

      → _____

Fāng yīshēng xiěle nà piān wénzhāng. Nà piān wénzhāng duì rénmen de shēnghuó fāngshì yǐngxiǎng hěn dà.
(6) 方 医生 写了那篇 文章。那篇 文章 对人们 的 生活 方式 影响 很大。

      → _____

三 听力练习 Listening Exercises

1. 听短对话，选择正确答案。 Listen to the short dialogues and choose the right answers.

01-1

    Wáng jīnglǐ   Fāng xiǎojiě   Cháng mìshū
(1) a. 王 经理   b. 方 小姐   c. 常 秘书

    qìchē de yánsè   liánghǎo de kāi chē xíguàn   qí zìxíngchē
(2) a. 汽车的 颜色   b. 良好 的 开车 习惯   c. 骑自行车

2. 听长对话，选择正确答案。 Listen to the long dialogues and choose the right answers.

01-2

    Chéng jiàoshòu   Cháng jiàoshòu   Shí lǎoshī
(1) a. 成 教授   b. 常 教授   c. 时 老师

    guǎnggào gōngsī   Zhāng Lì   guānzhòng
(2) a. 广告 公司   b. 张 力   c. 观众

四 汉字练习 Exercises on Chinese Characters

1. 辨认汉字，选择正确的汉字填空，然后朗读。 Distinguish the characters, choose the right character to fill in each blank, and then read the sentences aloud.

Zhè cì de bǐsài, xīwàng měi ge nián de tóngxué dōu jī cānjiā.
(1) 这次的 比赛，希望 每个年____的 同学 都积____参加。（a. 极 b. 级）

Nǐ zhīdào ma? 《Lúnyǔ》 shì yóu Kǒngzǐ de xuésheng zuǎn de, quán shū gòng yǒu
(2) 你知道吗？《论语》是 由孔子的 学生 ____纂的，全书 共有20____。

（a. 编 b. 篇）

2. 听写句子。 Write down the sentences you hear.

01-3

(1) _____

(2) _____

5

五 交际练习　Communicative Exercise

根据提示词语完成对话。 Complete the dialogues based on the hints given.

(1) A：Dàifu, wǒ zuìjìn jǐ tiān tóuténg, yǎnjing yě téng.
　　大夫，我最近几天头疼、眼睛也疼。

　　B：Nǐ de yǎnjing＿＿＿＿＿（红），nǐ měi tiān wǎnshang zuò shénme?
　　你的眼睛＿＿＿＿＿（红），你每天晚上做什么？

　　A：＿＿＿＿＿＿＿＿＿＿。（上网、玩儿电脑）
　　　shàng wǎng, wánr diànnǎo

　　B：Nǐ de tóuténg shì＿＿＿＿＿＿＿（由），yóu wǎnshang bú shuì jiào, wánr diànnǎo huì
　　你的头疼是＿＿＿＿＿＿＿（由），晚上不睡觉、玩儿电脑会

　　　＿＿＿＿＿＿＿＿（X对Y产生影响）。
　　　duì chǎnshēng yǐngxiǎng

　　A：Nà zěnme bàn?
　　那怎么办？

　　B：Nǐ＿＿＿＿＿＿＿＿（休息）。
　　你＿＿＿＿＿＿＿＿（休息）。
　　　xiūxi

(2) A：Nǐ xiǎng shàng nǎ suǒ zhōngxué?
　　你想上哪所中学？

　　B：Wǒ juéde＿＿＿＿＿＿＿＿。
　　我觉得＿＿＿＿＿＿＿＿。

　　A：Nà suǒ zhōngxué＿＿＿＿＿＿＿＿。
　　那所中学＿＿＿＿＿＿＿＿。

　　B：Kěshì nà suǒ zhōngxué shì＿＿＿＿＿＿＿（由）chuàngbàn de. Zài nàr, xuésheng
　　可是那所中学是＿＿＿＿＿＿＿（由）创办的。在那儿，学生

　　　kěyǐ＿＿＿＿＿＿＿＿。
　　可以＿＿＿＿＿＿＿＿。

　　A：Duì, nàr de lǎoshī yě hǎo, huì＿＿＿＿＿＿＿（X对Y产生
　　对，那儿的老师也好，会＿＿＿＿＿＿＿（X对Y产生
　　　yǐngxiǎng
　　影响）。

　　B：＿＿＿＿＿＿＿＿。

六 语篇练习　Textual Exercises

1. 后天是校园开放日，一些准备报考你们大学的高中生和父母要来学校参观。作为校园开放日的组织者，请你安排一下一天的行程与负责人，并写下来。The day after tomorrow will be an open day and some students from high schools planning to apply for your university will come to visit with their parents. As the organizer of this open day, please work out a schedule and a list of persons in charge and write a paragraph about them.

行程	负责人
1. 去机场接学生和父母	＿＿＿＿
2. 介绍学校历史	＿＿＿＿
3. 带学生和父母参观校园（xiàoyuán, campus）	＿＿＿＿
4. 陪学生和父母吃午饭	＿＿＿＿
5. 送学生和父母离开校园	＿＿＿＿

Hòutiān shì xiàoyuán kāifàngrì, zǎoshang
后天 是 校园 开放日, 早上 _____ （由）去 机场 接 学生 和

fùmǔ. Jiǔ diǎn xiàoyuán kāifàngrì huódòng kāishǐ, shǒuxiān
父母。九点 校园 开放日 活动 开始, 首先 _____ （由）为 大家

Ránhòu,
_____ 。 然后, _____ （由）带 学生 和 父母

Zhōngwǔ,
_____ 。 中午, _____ （由）。 下午

jìxù cānguān xiàoyuán, xiàwǔ diǎn, yóu
继续 参观 校园, 下午 4点, _____ （由）。

2. 参照下表，比较一下孔子和你们国家的一位著名人物，说说他们的异同，并写下来，注意用上 "由" 和 "X 对 Y 产生影响"。（写 8—10 句话）Look at the form below and compare Confucius with a famous person in your country. Talk about their similarities and differences and write a paragraph about them. Remember to use "由" and "X 对 Y 产生影响". (Write 8-10 sentences.)

比较项目	孔子	你们国家的著名人物
1. 生活的时代 (shídài, era)		
2. 身份 / 职业 (zhíyè, profession)		
3. 对社会的贡献 (gòngxiàn, contribution)（提出的思想、著名的话、做了什么好事……）		
4. 对后世 (hòushì, later generations) 的影响		

Shǒujī　duǎnxìn

手机短信
SMS

一　词汇练习 Vocabulary Exercises

1. 选词填空并朗读。 Choose a word to fill in each blank and then read the sentences aloud.

> hùxiāng　　duìfāng
> a. 互相　　b. 对方

　　　Fùmǔ hé háizi zhījiān yào　　　lǐjiě.
(1) 父母和孩子之间要＿＿＿理解。

　　　Gāngcái dǎ diànhuà de shíhou, wǒ tīng bu dào　　　de shēngyīn.
(2) 刚才打电话的时候，我听不到＿＿＿的声音。

> jiàn miàn　　dāngmiàn
> a. 见面　　b. 当面

　　　Wǒ gēn tā shuō, wǒ xiǎng wèi tā huà yì fú xiàng, kěshì tā què　　　jùjuéle wǒ.
(3) 我跟他说，我想为他画一幅像，可是他却＿＿＿拒绝了我。

　　　Jīntiān xiàwǔ wǒ yào gēn lǎobǎn
(4) 今天下午我要跟老板＿＿＿。

> zháojí　　dānxīn
> a. 着急　　b. 担心

　　　Búyòng　　　fēijī hái yǒu liǎng ge xiǎoshí cái qǐfēi ne.
(5) 不用＿＿＿，飞机还有两个小时才起飞呢。

　　　Wǒ hěn　　　míngtiān de kǎoshì.
(6) 我很＿＿＿明天的考试。

2. 连线并朗读。 Match and read aloud.

发送　　　担心　　　表达　　　分享　　　成为　　　做

经验　　　统计　　　别人　　　经理　　　短信　　　问候

3. 根据图片选择相应的词语。 Choose the corresponding word for each picture.

a. 联系　　b. 政府　　c. 互联网　　d. 拥挤　　e. 经济　　f. 不景气

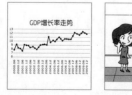    

(1) ＿＿＿　　(2) ＿＿＿　　(3) ＿＿＿　　(4) ＿＿＿　　(5) ＿＿＿　　(6) ＿＿＿

4. 选词填空并朗读。Choose a word to fill in each blank and then read the sentences aloud.

jù	gōngnéng	bǐrú	zhuǎnfā	jīngyíng	kùnnan
a. 据	b. 功能	c. 比如	d. 转发	e. 经营	f. 困难

(1) Zhège shǒujī yǒu shénme xīn
这个手机有什么新_____？

(2) Zhè jiā gōngsī de hěn hǎo.
这家公司_____得很好。

(3) Zhè jiā gōngsī yīnwèi jīngjì bù jǐngqì, yùdào yìxiē
这家公司因为经济不景气，遇到一些_____。

(4) Qǐng nǐ bǎ nà fēng diànzǐ yóujiàn gěi wǒ.
请你把那封电子邮件_____给我。

(5) tǒngjì, Zhōngguó nián wǎngmín yǐ dá yì rén.
_____统计，中国 2014 年 网民 已达 5.9 亿人。

(6) Zhōngguó rén dǎ zhāohu de fāngshì yǒu hěn duō zhǒng, "nǐ hǎo" "chī le ma" "qù nǎr" děng.
中国 人打招呼的方式有很多 种，_____"你好""吃了吗""去哪儿"等。

二 语法练习 Grammar Exercises

1. 把"通过"填到句中合适的位置，然后朗读。Choose the right positions for"通过"and then read the sentences aloud.

(1) nǔlì, tā zhōngyú shíxiànle zìjǐ de mèngxiǎng.
_____a_努力，他__b__终于 __c__实现了自己的 梦想。

(2) cānguān bówùguǎn, wǒ liǎojiěle Déguó de lìshǐ.
_____a_参观__b__博物馆，我 __c__了解了德国的历史。

(3) Xiànzài rénmen kěyǐ diànhuà huò wǎngluò mǎi huǒchēpiào.
现在_____a__人们可以__b__电话或 网络 __c__买火车票。

(4) dǎoyóu de jièshào, Dàwèi zhīdàole hěn duō fāshēng zài zhèli de gùshi.
_____a_导游的介绍，__b__大卫知道了很多 __c__发生在这里的故事。

(5) kàn zhōngyī tā de bìng bèi zhìhǎo le.
_____a_看中医__b__，他的病 __c__被治好了。

(6) Wǒmen dōu shì yóujiàn liánxì, cónglái méi jiànguo miàn.
我们_____a__都是__b__邮件 __c__联系，从来没见过面。

2. 连线并朗读。Match and read aloud.

(1) bìyèshēng zhǎo gōngzuò
毕业生找 工作
yuèláiyuè jījí
越来越积极

(2) wǎngluò ānquán
网络 安全
yuèláiyuè yùmèn
越来越郁闷

(3) hùliánwǎng duì shèhuì de yǐngxiǎng
互联网 对社会的 影响
yuèláiyuè kùnnan
越来越困难

(4) huánjìng wūrǎn wèntí
环境 污染问题
yuèláiyuè duō
越来越多

(5) Xiǎomíng huò jiǎng yǐhòu biàn de
小明 获奖以后变得
yuèláiyuè dà
越来越大

(6) lǎobǎn zǒngshì duì tā bùmǎn, tā gǎndào
老板总是对他不满，他感到
yuèláiyuè zhòngyào
越来越 重要

3.用下列词语组句，然后朗读。Make sentences using the following words/phrases and then read the sentences aloud.

(1)
讨论　大家　越来越　清楚　通过　解决问题的方法
tǎolùn　dàjiā　yuèláiyuè　qīngchu　tōngguò　jiějué wèntí de fāngfǎ

→ _____

(2)
越来越多的人　我们　认为　调查　更重要　通过　家庭　了解到
yuèláiyuè duō de rén　wǒmen　rènwéi　diàochá　gèng zhòngyào　tōngguò　jiātíng　liǎojiě dào

→ _____

(3)
市中心的房价　统计　我们　高　通过　越来越　发现
shì zhōngxīn de fángjià　tǒngjì　wǒmen　gāo　tōngguò　yuèláiyuè　fāxiàn

→ _____

(4)
跟中国人聊天儿　他的汉语　流利　通过　越来越　说得
gēn Zhōngguó rén liáo tiānr　tā de Hànyǔ　liúlì　tōngguò　yuèláiyuè　shuō de

→ _____

(5)
越来越　交流　对方　我们　通过　了解
yuèláiyuè　jiāoliú　duìfāng　wǒmen　tōngguò　liǎojiě

→ _____

(6)
举办比赛　喜欢上了　越来越多的人　通过　太极拳
jǔbàn bǐsài　xǐhuan shang le　yuèláiyuè duō de rén　tōngguò　tàijíquán

→ _____

三　听力练习　Listening Exercises

1.听短对话，选择正确答案。Listen to the short dialogues and choose the right answers.

02-1
(1)a.女儿　　　　　　b.妈妈　　　　　　c.妈妈年轻的时候
　　nǚ'ér　　　　　　　mǎma　　　　　　　mǎma niánqīng de shíhou

(2)a.方方　　　　　　b.方方的妈妈　　　c.方方的老师
　　Fāngfāng　　　　　Fāngfāng de mǎma　Fāngfāng de lǎoshī

2.听长对话，选择正确答案。Listen to the long dialogues and choose the right answers.

02-2
(1)a.女的很漂亮　　b.不想让女的买衣服　c.女人应该多买衣服
　　nǚ de hěn piàoliang　bù xiǎng ràng nǚ de mǎi yīfu　nǚrén yīnggāi duō mǎi yīfu

(2)a.看书　　　　　　b.出去玩儿　　　　　c.学习汉字
　　kàn shū　　　　　　chūqu wánr　　　　　xuéxí Hànzì

四　汉字练习　Exercises on Chinese Characters

1.用下列汉字组词。Make words using the following characters.

发：_____、_____、_____、_____

心：_____、_____、_____、_____

2. 听写句子。Write down the sentences you hear.

02-3

(1) _____

(2) _____

五 交际练习 Communicative Exercise

根据提示词语完成对话，注意用上"通过"或"越来越"。Complete the dialogues based on the hints given. Remember to use "通过" or "越来越".

(1)

Lín Mù: Ānni, nǐ yào qù nǎr?
林木：安妮，你要去哪儿？

Ānni: Wǒ yào _____ yùndòng wǒ xiànzài měi tiān dōu
安妮：我要_____（运动），我现在每天都_____。

Lín Mù: Guàibude nǐ zuìjìn shòu yuánlái měi tiān
林木：怪不得你最近_____（瘦），原来每天_____。

Ānni: Shì a, yùndòng yǐhòu, wǒ juéde shēntǐ jiànkāng
安妮：是啊，运动以后，我觉得身体_____（健康）。

Lín Mù: Wǒ kàn nǐ yě bǐ yǐqián kāixīn le.
林木：我看你也比以前开心了。

Ānni: Shì a, xiànzài shēntǐ yuèláiyuè hǎo, xīnqíng yě hǎo
安妮：是啊，现在身体越来越好，心情也_____（好）。

(2)

Dàshuāng: Zhōumò nǐ yǒu shénme dǎsuàn ma?
大双：周末你有什么打算吗？

Běnjiémíng: Wǒ xiǎng qù lìshǐ bówùguǎn cānguān.
本杰明：我想去历史博物馆参观。

Dàshuāng: Nǐ zěnme duì…… gǎn xìngqù
大双：你怎么_____（对……感兴趣）？

Běnjiémíng: Zuìjìn wǒ
本杰明：最近我_____。

Dàshuāng: Nà běn shū zěnmeyàng?
大双：那本书怎么样？

Běnjiémíng: kàn shū wǒ
本杰明：_____（看书），我_____
xǐhuan Zhōngguó lìshǐ
（喜欢中国历史）。

参照下表，比较发短信和打电话的异同，说说这两种方式各自的好处和缺点，并写下来，注意用上"通过"和"越来越"。（写8—10句话）Look at the form below and compare sending text messages with making phone calls. Talk about the respective advantages and disadvantages of the two and write a paragraph about them. Remember to use "通过" and "越来越". (Write 8-10 sentences.)

比较项目	发短信	打电话
1. 功能		
2. 好处		
3. 缺点		
4. 我的偏好 (piānhào, preference)		

Kōng mǎchē

空马车

An empty carriage

一 **词汇练习** Vocabulary Exercises

1. **根据图片选择相应的词语。** Choose the corresponding word for each picture.

a. 散步　　　　b. 树林　　　　c. 马车　　　　d. 鸟　　　　e. 噪声　　　　f. 阳光

(1) _____　　　(2) _____　　　(3) _____　　　(4) _____　　　(5) _____　　　(6) _____

2. **选词填空并朗读。** Choose a word to fill in each blank and then read the sentences aloud.

(1)   Xiǎo shíhou, bàba jīngcháng zhe wǒ tī zúqiú; zhǎngdà hòu, wǒ zhe lǎoshī chū guó cānjiā
　　 小 时候，爸爸 经常 _____着 我 踢 足球；长 大 后，我_____着 老师 出 国 参加
　　 zúqiú bǐsài. péi gēn
　　 足球 比赛。(a. 陪　b. 跟)

(2)   jié kuài dào le, zánmen gěi zhǔnbèi yí fèn lǐwù ba. bàba fùqīn
　　 _____节 快 到 了，咱们 给_____准备 一 份 礼物 吧。(a. 爸爸　b. 父亲)

(3)   Yīshēng jiànyì wǒ duō yùndòng, suǒyǐ wǒ měi tiān qù shàng bān, wǎnfàn hòu hái qù gōngyuán
　　 医生 建议 我 多 运动，所以 我 每 天_____去 上 班，晚饭 后 还 去 公园_____。
　　 sàn bù zǒu lù
　　 (a. 散步　b. 走路)

(4)   Nà piàn shùlín shífēn wǒ hé péngyou cháng qù nàli, zuò zài shù xià de kàn shū.
　　 那 片 树林 十分_____，我 和 朋友 常 去 那里，坐 在 树 下_____地 看 书。
　　 ānjìng yōujìng
　　 (a. 安静　b. 幽静)

(5)   Nǐ tīng, nà shì shénme
　　 A：你 听，那 是 什么_____?
　　 Nà shì niǎo de jiàoshēng shēngyīn
　　 B：那 是 鸟 的_____。(a. 叫声　b. 声音)

(6)   Wǒ shēngrì nà tiān, háizimen gěile wǒ yí ge hěn dà de Tāmen zuòle yì zhuōzi fàncài, ràng
　　 我 生日 那 天，孩子们 给了 我 一 个 很 大 的_____。他们 做了 一 桌子 饭菜，让
　　 wǒ gǎndào hěn jīngxǐ jīngyà
　　 我 感到 很_____。(a. 惊喜　b. 惊讶)

3. **选择合适的量词填空。** Choose the right measure word for each blank.

zhāng	hé	tái	kuài	chǎng	wèi
a. 张	b. 盒	c. 台	d. 块	e. 场	f. 位

(1) jǐ   wǎngqiú bǐsài piào　　(2) yì   shòuhuòyuán　　(3) liǎng   xǐyījī
　　 几_____ 网球 比赛 票　　(2) 一_____售货员　　(3) 两_____洗衣机

sān　　yuèbing	liǎng　　niúnǎi

(4) 三＿＿＿月饼　　(5) 两＿＿＿牛奶　　(6) 一＿＿＿网球 比赛

（yì　　wǎngqiú bǐsài）

4. 写出你知道的交通工具，越多越好。Write down the means of transportation you know. The more, the better.

(1) ＿＿＿＿＿＿＿　　(2) ＿＿＿＿＿＿＿　　(3) ＿＿＿＿＿＿＿

(4) ＿＿＿＿＿＿＿　　(5) ＿＿＿＿＿＿＿　　(6) ＿＿＿＿＿＿＿

语法练习　Grammar Exercises

1. 用"除了 X 以外，还 Y"把下面两个句子合并成一句，然后朗读。Combine two sentences into one using "除了 X 以外，还 Y" and then read the new sentences aloud.

Dì-yī cì kāi chē shàng lù,　wǒ gǎndào hěn jǐnzhāng.　Dì-yī cì kāi chē shàng lù,　wǒ gǎndào hěn xīngfèn.
(1) 第一次 开车 上路，我 感到 很 紧张。第一次 开车 上路，我 感到 很 兴奋。

→ 第一次开车上路，我除了感到紧张以外，还感到很兴奋。/

Dì-yī cì kāi chē shàng lù, wǒ chúle gǎndào jǐnzhāng yǐwài, hái gǎndào hěn xīngfèn.

Wǒ tiēcuòle yóupiào. Wǒ xiěcuòle dìzhǐ.
(2) 我 贴错了 邮票。我 写错了 地址。

→ ＿＿＿＿＿＿＿＿＿＿＿＿＿＿＿＿＿＿＿＿＿

Xiàozhǎng wèi huò jiǎng tóngxué fā jiǎng.　Xiàozhǎng shuōle jǐ jù huà.
(3) 校长 为获奖 同学 发奖。 校长 说了 几句 话。

→ ＿＿＿＿＿＿＿＿＿＿＿＿＿＿＿＿＿＿＿＿＿

Běnjiémíng huápòle gēbo.　Běnjiémíng zhuàngshāngle tuǐ.
(4) 本杰明 划破了 胳膊。 本杰明 撞伤了 腿。

→ ＿＿＿＿＿＿＿＿＿＿＿＿＿＿＿＿＿＿＿＿＿

Bówùguǎn bù néng xī yān.　Bówùguǎn bù néng pāi zhào.
(5) 博物馆 不 能 吸 烟。 博物馆 不 能 拍 照。

→ ＿＿＿＿＿＿＿＿＿＿＿＿＿＿＿＿＿＿＿＿＿

Xiǎodōng qiēchúle biǎntáotǐ.　Xiǎodōng qiēchúle mángcháng.
(6) 小东 切除了 扁桃体。 小东 切除了 盲肠。

→ ＿＿＿＿＿＿＿＿＿＿＿＿＿＿＿＿＿＿＿＿＿

2. 用"越 X 越 Y"改写下列句子。Rewrite the following sentences using "越 X 越 Y".

Ānni de Hànzì xiě de yuèláiyuè hǎo.
(1) 安妮 的 汉字 写 得 越来越 好。

→ 安妮的汉字越写越好。/ Ānni de Hànzì yuè xiě yuè hǎo.

Lìli biàn de yuèláiyuè piàoliang.
(2) 丽丽 变 得 越来越 漂亮。

→ _____

Wàimian de fēng guā de yuèláiyuè lìhai.
(3) 外面 的 风 刮 得 越来越 厉害。

→ _____

Nà chǎng bǐsài Ālǐ kàn de yuèláiyuè jǐnzhāng.
(4) 那 场 比赛 阿里 看 得 越来越 紧张。

→ _____

Xīwàng nǐmen de shēngyi zuò de yuèláiyuè hǎo.
(5) 希望 你们 的 生意 做 得 越来越 好。

→ _____

Nǐ jiā ménkǒu de nàxiē huār zhǎng de yuèláiyuè hǎokàn.
(6) 你 家 门口 的 那些 花儿 长 得 越来越 好看。

→ _____

3. 用下列词语组句，然后朗读。Make sentences using the following words/phrases and then read the sentences aloud.

yǒudiǎnr xiǎo   chúle   nà tào hǎijǐngfáng   yǒudiǎnr guì   hái   yǐwài
(1) 有点儿 小   除了   那 套 海景房   有点儿 贵   还   以外

→ _____

chídào   jīngcháng   bù xiě zuòyè   Wáng Yuán   chúle   yǐwài   hái
(2) 迟到   经常   不 写 作业   王 元   除了   以外   还

→ _____

mài shànzi   hái   chúle   nǐ   yǐwài   mài shénme
(3) 卖 扇子   还   除了   你   以外   卖 什么

→ _____

dà   yuè   Zhāng lǎobǎn   yuè   zuò   shēngyi
(4) 大   越   张 老板   越   做   生意

→ _____

nánguò   xiǎng   Fāngfāng   nà jiàn shì   yuè   yuè
(5) 难过   想   方方   那 件 事   越   越

→ _____

fùzá   yuè   tā   jiěshì   zhège wèntí   yuè
(6) 复杂   越   他   解释   这个 问题   越

→ _____

听力练习 Listening Exercises

03-1 1. 听短对话，选择正确答案。Listen to the short dialogues and choose the right answers.

(1) a. bǐsàbǐng 比萨饼　　b. qiǎokèlì miànbāo 巧克力 面包　　c. cǎoméi dàngāo 草莓 蛋糕

(2) a. màn diǎnr zǒu 慢 点儿 走　　b. kuài diǎnr zǒu 快 点儿 走　　c. xiūxi 休息

03-2 2. 听长对话，选择正确答案。Listen to the long dialogues and choose the right answers.

(1) a. chúshī 厨师　　b. měishíjiā 美食家　　c. zuòjiā 作家

(2) a. dàtáng jīnglǐ 大堂 经理　　b. bīnguǎn de kèrén 宾馆 的客人　　c. bīnguǎn de fúwùyuán 宾馆 的服务员

四
汉字练习　Exercises on Chinese Characters

1. 根据拼音写出正确的汉字，然后朗读。Write down the right characters based on the *pinyin* and then read the sentences aloud.

(1) 这是我们的新教室，又干____(jìng)____又安____(jìng)____。

(2) 虽然王老板做生意____(péi)____了钱，但是妻子一直____(péi)____着他。

03-3 2. 听写句子。Write down the sentences you hear.

(1) _____

(2) _____

五
交际练习　Communicative Exercise

根据提示词语完成对话。Complete the dialogues based on the hints given.

(1) A：Nín hǎo, qǐngwèn 您 好，请问_____？

B：Wǒ xiǎng mǎi yí bù shǒujī, nǐ kěyǐ 我 想 买一部手机，你 可以_____（jièshào 介绍）？

A：Wǒ jiànyì nín kànkan zhè zhǒng, yīnwèi tā 我建议您 看看 这 种，因为 它_____（除了 X 以外，还 Y chúle yǐwài, hái）。

B：Wǒ yǐqián méi yòngguo zhè zhǒng shǒujī, wǒ dānxīn 我以前 没 用过 这 种 手机，我 担心_____（质量 quality zhìliàng）。

A：Qǐng fàngxīn, zhè zhǒng shǒujī zhìliàng hěn hǎo, érqiě gōngnéng duō, jiàgé yě bú guì, wǒ bǎozhèng 请 放心，这 种 手机质量 很好，而且 功能 多，价格 也不贵，我 保证

您 会_____（越 X 越 Y yuè yuè nín huì）。

B：Nà 那_____（试 一 试 shì yi shì）。

(2) A：
林木，＿＿＿＿＿＿＿＿＿＿？

Duì, wǒ měi tiān dōu qí zìxíngchē shàng-xià bān.
B：对，我 每 天 都 骑 自行车 上下 班。

Wèi shénme?
A：为 什么？

Qí chē shàng-xià bān　　　　　　　　　　　　　　　chúle　　yǐwài,　hái
B：骑车 上下 班＿＿＿＿＿＿＿＿＿＿＿＿（除了 X 以外，还 Y）。

Nǐ bù juéde lèi ma?
A：你 不 觉得 累 吗？

Bú lèi. Wǒ juéde qí chē shì yì zhǒng jiànkāng de yùndòng.
B：不累。我 觉得 骑车 是 一 种 健康 的 运动，＿＿＿＿＿＿＿＿＿＿

yuè yuè
（越 X 越 Y）。

六 语篇练习 Textual Exercises

1. 参照下表，根据实际情况，画出符合自己喜好的词语，并写下来。Look at the form below, mark the words according to your own preferences, and write a paragraph about them.

类别（Category）	选项（Choices）
1. 颜色	红色 黄色 白色 黑色 蓝色 绿色 灰色 棕色……
2. 运动	游泳 爬山 散步 跑步 打乒乓球 打羽毛球 打篮球 踢足球……
3. 语言	汉语 英语 法语 德语 西班牙语 日语……
4. 水果	苹果 葡萄 香蕉 草莓 西瓜……

Xiàmian shuōshuo wǒ xǐhuan de dōngxi. Guānyú yánsè, wǒ chúle xǐhuan yǐwài, hái
下面 说说 我 喜欢 的 东西。关于 颜色，我 除了 喜欢＿＿＿＿＿以外，还

xǐhuan　　　　　　　　　Guānyú yùndòng, wǒ chúle　　　　　　　　　yǐwài,
喜欢＿＿＿＿＿。关于 运动，我 除了＿＿＿＿＿以外，＿＿＿

　　　　　　　　　Guānyú yǔyán, wǒ
＿＿＿＿＿。关于 语言，我＿＿＿＿＿，＿＿＿＿＿

Guānyú shuǐguǒ, wǒ　　　　　　　　　　　　　　　　　　　　Guānyú
＿。关于 水果，我＿＿＿＿＿，＿＿＿＿＿。关于＿＿＿

wǒ
＿＿＿＿＿，我＿＿＿＿＿，＿＿＿＿＿。

2. 黑格尔的父亲说"马车越空，噪声就越大"。参照下表，说说你认识或了解的一个真正有学问的教授或老师，并写下来，注意用上"除了 X 以外，还 Y"和"越 X 越 Y"。（写 8—10 句话）According to Hegel's father, "The emptier a carriage is, the louder the noise it makes will be". Look at the form below, talk about a truly learned professor or teacher you know, and write a paragraph about him/her. Remember to use "除了 X 以外，还 Y" and "越 X 越 Y". (Write 8-10 sentences.)

问题	回答
1. 他是谁？性格怎么样？	

2. 他常向别人炫耀 （xuànyào, to show off） 自己的学问吗？	
3. 他平时 （píngshí, usually） 常做什么？	
4. 别人向他请教 （qǐngjiào, to ask for advice） 时他怎么做？	

_____

_____

_____

_____

Suǒyǐ, yí ge rén yuè yǒu xuéwen,

_____。 所以，一个人越有学问，_____。

Hǎiyángguǎn de guǎnggào

海洋馆的广告

Advertisement of the maritime museum

一 词汇练习 Vocabulary Exercises

1. 选词填空并朗读。Choose a word to fill in each blank and then read the sentences aloud.

> *zhuàn qián*   *yínglì*
> a. 赚 钱   b. 赢利

     Yǒu rén shuō, kāi yì jiā gòu wù wǎngzhàn huì hěn
(1) 有 人 说，开 一 家 购物 网站 会 很 _____。

     Lín Mù gāng kāishǐ zuò shēngyi, měi ge yuè bù duō.
(2) 林木 刚 开始 做 生意，每 个 月 _____ 不 多。

> *bùjiǔ*   *yǎnkàn*
> a. 不久   b. 眼看

     Kuài diǎnr ba, jiù yào kāi chē le.
(3) 快 点儿 吧，_____ 就要 开车 了。

     Sūn jìzhě gāng dào zhèr hái bú tài xíguàn zhèli de shēnghuó.
(4) 孙记者 刚 到 这儿 _____，还 不 太 习惯 这里 的 生活。

> *àn*   *jù*
> a. 按   b. 据

     tǒngjì, cānguān hǎiyángguǎn de rén sān fēn zhī èr dōu shì jiāzhǎng.
(5) _____ 统计，参观 海洋馆 的 人 三 分 之 二 都 是 家长。

     Liú lǎoshī qùnián biānzuǎnle zhè běn cídiǎn, jīnnián Lǐ jiàoshòu de jiànyì zuòle gǎibiān.
(6) 刘 老师 去年 编纂了 这 本 词典，今年 _____ 李 教授 的 建议 做了 改编。

2. 连线并朗读。Match and read aloud.

开	征求	听	出现	写	登

点子	一个人	广告	论文	海洋馆	专辑

3. 根据图片选择相应的词语。Choose the corresponding word for each picture.

a. 海洋馆   b. 爆满   c. 儿童   d. 家长   e. 加油站   f. 植物

(1) _____   (2) _____   (3) _____   (4) _____   (5) _____   (6) _____

4. 选词填空并朗读。 Choose a word to fill in each blank and then read the sentences aloud.

	nèilù	yóuyú	tiān liàng	bǐfēn	yóu	dǎtīng
	a. 内陆	b. 由于	c. 天亮	d. 比分	e. 油	f. 打听

Nàge chéngshì zǎoshang diǎn duō jiù le.
(1) 那个 城市 早上 4 点 多 就_____了。

Qián liǎng chǎng bǐsài de dōu shì yī bǐ yī.
(2) 前 两 场 比赛 的_____都 是 一 比 一。

Xī'ān shì yí zuò chéngshì, qìhòu bǐjiào gānzào.
(3) 西安 是 一 座_____城市，气候 比较 干燥。

Zánmen de chē hái yǒu hěn duō jìxù wǎng qián kāi ba.
(4) 咱们 的 车 还 有 很 多_____，继续 往 前 开 吧。

Nǐ bāng wǒ yíxià, zài nǎ jiā yīyuàn zuò mángcháng shǒushù bǐjiào hǎo.
(5) 你 帮 我_____一下，在 哪 家 医院 做 盲肠 手术 比较 好。

Zhōngguó duì yìzhí bǎochí liánghǎo de xīntài, zuìhòu yíngle bǐsài.
(6) _____中国 队 一直 保持 良好 的 心态，最后 赢了 比赛。

二 语法练习 Grammar Exercises

1. 根据提示词语，用"眼看"完成下列句子。 Complete the following sentences using "眼看" based on the hints given.

Xībānyá duì wǒ hěn gāoxìng. yíng
(1) 西班牙 队_____，我 很 高兴。（赢）

Kèren wǒmen kuài shōushi yíxià ba. lái
(2) 客人_____，我们 快 收拾 一下 吧。（来）

Jùhuì wǒmen xià cì zài liáo ba. jiéshù
(3) 聚会_____，我们 下 次 再 聊 吧。（结束）

dàjiā dōu hěn xīngfèn. dào Běijīng
(4) _____，大家 都 很 兴奋。（到 北京）

Fēijī wǒ yǒudiǎnr jǐnzhāng. qǐfēi
(5) 飞机_____，我 有点儿 紧张。（起飞）

Làzhú zěnme háishi méi lái diàn? yòng
(6) 蜡烛_____，怎么 还是 没 来 电？（用）

2. 把"到处"填到句中合适的位置，然后朗读。 Choose the right positions for "到处" and then read the sentences aloud.

Tā bù zhīdào yínháng zài nǎr, dǎtīng
(1) 她 不 知道 银行 在___a___哪儿，___b___打听___c___。

Zhège dìfang de fēngjǐng hěn měi, xiàtiān de shíhou, zhèlǐ dōu shì rén
(2) 这个 地方 的 风景___a___很 美，夏天 的 时候，这里___b___都 是 人___c___。

zuòle sān ge xiǎoshí de qìchē, xià chē hòu, tā zhǎo xǐshǒujiān
(3) ___a___坐了 三 个 小时 的 汽车，___b___下 车 后，他___c___找 洗手间。

Diànyǐngyuàn pángbiān dōu shì fànguǎnr chī fàn fēicháng fāngbiàn
(4) 电影院 旁边___a___都 是 饭馆儿___b___，___c___吃 饭 非常 方便。

Wǒ xiǎng dāng yì míng dǎoyóu, zhèyàng néng lǚyóu
(5) 我 想___a___当 一 名 导游，这样___b___能___c___旅游。

Wòshì bèi tā nòng de luànqībāzāo dōu shì yīfu.
(6) 卧室___a___被 她___b___弄 得 乱七八糟，___c___都 是 衣服。

3. 用下列词语组句，然后朗读。Make sentences using the following words/phrases and then read the sentences aloud.

(1)
kǎoshì le	dàochù	jiù yào	yǎnkàn	jiè bǐ	tā
考试了	到处	就要	眼看	借笔	她

→ _____

(2)
qìchē yǎnkàn	tā	méi yóu le	zhǎo jiāyóuzhàn	dàochù	jiù yào
汽车 眼看	他	没油了	找加油站	到处	就要

→ _____

(3)
jiù yào	dàjiā	dǎobì le	dàochù	gōngsī	yǎnkàn	dōu	zhǎo xīn gōngzuò
就要	大家	倒闭了	到处	公司	眼看	都	找新工作

→ _____

(4)
dàochù	yùndòngxié	kāishǐ le	yùndònghuì	yǎnkàn	tā	jiè	jiù yào
到处	运动鞋	开始了	运动会	眼看	他	借	就要

→ _____

(5)
yǎnkàn	dǎtīng	jiàqī le	qù nǎr wánr hǎo	tā	dàochù	jiù dào
眼看	打听	假期了	去哪儿玩儿好	她	到处	就到

→ _____

(6)
dàochù	tiānqì	dōngtiān de yīfu	yǎnkàn	tā	mǎi	lěng le	jiù yào
到处	天气	冬天的衣服	眼看	她	买	冷了	就要

→ _____

三 听力练习 Listening Exercises

1. 听短对话，选择正确答案。Listen to the short dialogues and choose the right answers.

04-1

(1)
tā suì le	tā méiyǒu nánpéngyou	tā zháojí zhǎo nánpéngyou
a. 她 30 岁了	b. 她没有 男朋友	c. 她着急找 男朋友

(2)
Lín Mù zhè jǐ tiān zài xuéxiào	Xiǎoshuāng gēn Lín Mù zài yìqǐ	zuìjìn méi jiàndào Lín Mù
a. 林木这几天在学校	b. 小双 跟林木在一起	c. 最近没见到林木

2. 听长对话，选择正确答案。Listen to the long dialogues and choose the right answers.

04-2

(1)
shuì jiào	qù hǎiyángguǎn	qù shàng bān
a. 睡 觉	b. 去 海洋馆	c. 去 上班

(2)
fēngjǐng yòu hǎo rén yòu shǎo	dàochù dōu shì rén	fēngjǐng bú piàoliang
a. 风景 又好人又少	b. 到处 都是人	c. 风景 不 漂亮

四 汉字练习 Exercises on Chinese Characters

1. 填字游戏。Crossword.

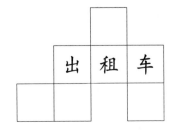

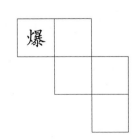

2. 听写句子。Write down the sentences you hear.

04-3

(1) _____

(2) _____

五 交际练习 Communicative Exercise

根据提示词语完成对话。Complete the dialogues based on the hints given.

(1) 安妮: Ānni: Shāngchǎng li zhēn yōngjǐ,
商场 里 真 拥挤,_____（到处 dàochù）。

林木: Lín Mù: Shì a,
是 啊,_____（眼看 yǎnkàn），大家 都 来 买 东西。dàjiā dōu lái mǎi dōngxi.

安妮: Ānni: Jīnnián nǐ xiǎng mǎi shénme lǐwù?
今年 你 想 买 什么 礼物?

林木: Lín Mù: Wǒ xiǎng
我 想 _____（征求 zhēngqiú），你 觉得 我 买 什么 好?nǐ juéde wǒ mǎi shénme hǎo?

安妮: Ānni: Wǒ jiànyì nǐ jīnnián bù mǎi dōngxi,
我 建议 你 今年 不 买 东西,_____（度假 dùjià）。

林木: Lín Mù: Zhè shì ge hǎo diǎnzi, wǒ yào
这 是 个 好 点子,我 要_____（跟……一起 gēn…… yìqǐ）。

(2) A: _____（眼看 yǎnkàn），我们 找 个 地方 吃 午饭 吧。wǒmen zhǎo ge dìfang chī wǔfàn ba.

B: Hǎo a, nǐ kàn zhèli
好 啊,你 看 这里_____（到处 dàochù），你 想 吃 什么?nǐ xiǎng chī shénme?

A: Wǒmen qù chī zhájiàngmiàn ba.
我们 去 吃 炸酱面 吧。

B: Xíng, lǎo Běijīng de zhájiàngmiàn hěn yǒumíng.
行,老 北京 的 炸酱面 很 有名。

A: Nǐ kàn, zhè jiā ménkǒu
你 看,这家 门口 _____（广告 guǎnggào），上面 _____shàngmian

（买 两 碗 送 一 碗 mǎi liǎng wǎn sòng yì wǎn）。

B: Guàibude
怪不得_____（爆满 bàomǎn），_____（到处 dàochù）。

六 语篇练习 Textual Exercise

参照课文,说说你在生活中遇到过什么困难,是你自己还是别人帮你想到什么好点子解决了这个问题,并写下来,注意用上"眼看"和"到处"。（写 8—10 句话）Model on the text and talk about a problem you met in real life. Did you solve the problem on your own or with someone else's help? Write about it. Remember to use "眼看" and "到处". (Write 8-10 sentences.)

_____

_____

_____

Lesson 5

筷子
Chopsticks

一 词汇练习 Vocabulary Exercises

1. 根据图片选择相应的词语。Choose the corresponding word for each picture.

a. 烫　　　　b. 夹　　　　c. 树枝　　　　d. 肉　　　　e. 煮　　　　f. 洪水

(1) _____　　(2) _____　　(3) _____　　(4) _____　　(5) _____　　(6) _____

2. 选词填空并朗读。Choose a word to fill in each blank and then read the sentences aloud.

> rè　　　tàng
> a. 热　　b. 烫

Zhōngguó rén xiàtiān xǐhuan hē　chá.
(1) 中国　人夏天喜欢喝_____茶。

Zhè bēi chá tài　le, wǒ yíhuìr zài hē.
(2) 这 杯 茶 太_____了，我 一会儿 再 喝。

> tiáo　　　gēn
> a. 条　　b. 根

Wǒ dàile jǐ　xiāngjiāo, pá shān de shíhou kěyǐ　yìqǐ chī.
(3) 我 带了 几_____香蕉，爬 山 的 时候 可以 一起 吃。

Zhè　kùzi hěn búcuò, chuānzhe hěn shūfu.
(4) 这 _____裤子 很 不错，穿着 很 舒服。

> dànshēng　　　shēng
> a. 诞生　　b. 生

Yīyuàn li,　yí ge xīn shēngmìng　le,　shì yí ge jiànkāng de nánháir.
(5) 医院 里，一个 新 生命 _____了，是 一个 健康 的 男孩儿。

Yīyuàn li,　yí wèi māma　le yí ge háizi,　shì yí ge piàoliang de　nǚháir.
(6) 医院 里，一位 妈妈_____了 一个 孩子，是 一个 漂亮 的 女孩儿。

3. 连线并朗读。Match and read aloud.

住在　　　猜　　　遵守　　　提出　　　上　　　踢

球　　　规则　　　农村　　　想法　　　谜语　　　小学

4.写出你知道的餐具，越多越好。Write down the names of tableware you know. The more, the better.

(1) _____   (2) _____   (3) _____   (4) _____

二 语法练习 Grammar Exercises

1.把"出来"填到句中合适的位置，然后朗读。Choose the right positions for "出来" and then read the sentences aloud.

(1) 吃 __a__ 饭的时候，阿里提 __b__ 想 __c__ 去中国的农村看一看。
Chī fàn de shíhou, Ālǐ tí xiǎng qù Zhōngguó de nóngcūn kàn yi kàn.

(2) 我现在就去 __a__ 把文章都 __b__ 打印 __c__ 。
Wǒ xiànzài jiù qù bǎ wénzhāng dōu dǎyìn

(3) 那道数学题 __a__ 你 __b__ 计算 __c__ 了吗？
Nà dào shùxuétí nǐ jìsuàn le ma?

(4) 警察 __a__ 已经查 __b__ 那个小偷的家庭地址 __c__ 了。
Jǐngchá yǐjīng chá nàge xiǎotōu de jiātíng dìzhǐ le.

(5) 亮亮想 __a__ 一个解决 __b__ 问题的好主意 __c__ 。
Liàngliàng xiǎng yí ge jiějué wèntí de hǎo zhǔyi

(6) 你能 __a__ 说 __b__ "土"和"士" __c__ 这两个字的不同吗？
Nǐ néng shuō "tǔ" hé "shì" zhè liǎng ge zì de bù tóng ma?

2.用下列词语组句，然后朗读。Make sentences using the following words/phrases and then read the sentences aloud.

(1) 按照　可以　大家　自己的习惯　做饭
ànzhào kěyǐ dàjiā zìjǐ de xíguàn zuò fàn

→ _____

(2) 客人　要　按照　这个地方的传统　一口喝光一杯酒
kèren yào ànzhào zhège dìfang de chuántǒng yì kǒu hēguāng yì bēi jiǔ

→ _____

(3) 收费　是　国家规定　我们　按照　的
shōufèi shì guójiā guīdìng wǒmen ànzhào de

→ _____

(4) 医生的建议　按照　了　小刘　一个手术　做
yīshēng de jiànyì ànzhào le Xiǎo Liú yí ge shǒushù zuò

→ _____

(5) 给她　这个号码　请　你　按照　打电话
gěi tā zhège hàomǎ qǐng nǐ ànzhào dǎ diànhuà

→ _____

(6) 按照　请　这个款式　您　做一件衣服　帮我
ànzhào qǐng zhège kuǎnshì nín zuò yí jiàn yīfu bāng wǒ

→ _____

3. 把下面两个句子合并成一句，然后朗读。 Combine each pair of sentences into one and then read the new sentences aloud.

(1)   Wǒ ànzhào zhège fāngfǎ jìsuàn.   Wǒ jìsuàn chū le yì nián de gōngzī.
我 按照 这个 方法 计算。我 计算 出 了 一 年 的 工资。

→ <u>我按照这个方法，计算出了一年的工资。/</u>

    Wǒ ànzhào zhège fāngfǎ, jìsuàn chū le yì nián de gōngzī.

(2)   Rénmen ànzhào Yuán Lóngpíng de fāngfǎ péiyù shuǐdào.   Rénmen péiyù chū chǎnliàng gèng duō de shuǐdào.
人们 按照 袁 隆平 的 方法 培育 水稻。人们 培育 出 产量 更 多 的 水稻。

→ _____

(3)   Nǐ yīnggāi ànzhào zìjǐ de xiǎngfǎ shuō.   Nǐ bǎ yìjiàn shuō chulai.
你 应该 按照 自己 的 想法 说。你 把 意见 说 出来。

→ _____

(4)   Jǐngchá ànzhào nàge rén shuō de dìzhǐ zhǎo.   Jǐngchá zhuādàole nàge xiǎotōu.
警察 按照 那个 人 说 的 地址 找。警察 抓到 了 那个 小偷。

→ _____

(5)   Běnjiémíng ànzhào māma de fāngfǎ zuò cài.   Běnjiémíng hěn kuài jiù zuòchū yì zhuōzi cài.
本杰明 按照 妈妈 的 方法 做菜。本杰明 很 快 就 做出 一 桌子 菜。

→ _____

(6)   Liú Míng ànzhào péngyou de jiànyì xiǎng bànfǎ.   Liú Míng xiǎng chulai yí ge jiějué wèntí de hǎo bànfǎ.
刘 明 按照 朋友 的 建议 想 办法。刘 明 想 出来 一 个 解决 问题 的 好 办法。

→ _____

三 听力练习 Listening Exercises

1. 听短对话，选择正确答案。 Listen to the short dialogues and choose the right answers.

05-1

(1) a. fùyìn wénjiàn   b. cānjiā bǐsài   c. xǐ zhàopiàn
    a. 复印 文件   b. 参加 比赛   c. 洗 照片

(2) a. yǐqián de fāngfǎ   b. shū shang de fāngfǎ   c. diànshì jiémù jiāo de fāngfǎ
    a. 以前 的 方法   b. 书 上 的 方法   c. 电视 节目 教 的 方法

2. 听长对话，选择正确答案。 Listen to the long dialogues and choose the right answers.

05-2

(1) a. kàn shū   b. xiě wénzhāng   c. děng rén
    a. 看 书   b. 写 文章   c. 等 人

(2) a. dú yánjiūshēng   b. zhǎo gōngzuò   c. qù lǚxíng
    a. 读 研究生   b. 找 工作   c. 去 旅行

汉字练习 Exercises on Chinese Characters

1. 辨认汉字，选择正确的汉字填空，然后朗读。Distinguish the characters, choose the right character to fill in each blank, and then read the sentences aloud.

Yíhuìr   bàba huí   le,   ràng tā jiāo nǐ zěnme yòng kuàizi   cài.
(1) 一会儿爸爸回_____了，让他教你怎么用筷子_____菜。（a. 夹　b. 来）

Wǒmen dàjiā dōu   wéi, yīnggāi dàxué bì yè   hòu zài jié hūn.
(2) 我们大家都_____为，应该大学毕业_____后再结婚。（a. 以　b. 认）

05-3

2. 听写句子。Write down the sentences you hear.

(1) _____

(2) _____

五 交际练习　Communicative Exercise

询问你的同学或朋友下列问题，用"v. + 出来"或"按照"回答。Ask a classmate or friend the following questions and they should answer them with "v. + 出来" or "按照".

Nǐ duō cháng shíjiān kěyǐ zuòhǎo yì zhuōzi fàncài?   chūlai
(1) 你多长时间可以做好一桌子饭菜？（v. + 出来）

→ _____

"Bàn ge péngyou bú jiàn le", zhè shì yí ge Hànzì míyǔ, nǐ zhīdào shì nǎge Hànzì ma?
(2) "半个朋友不见了"，这是一个汉字谜语，你知道是哪个汉字吗？
    chūlai
（v. + 出来）

→ _____

Rúguǒ nǐ de péngyou bù gāoxìng le, nǐ néng kàn chulai ma? Nǐ shì zěnme zhīdào de?   chūlai
(3) 如果你的朋友不高兴了，你能看出来吗？你是怎么知道的？（v. + 出来）

→ _____

Zài nǐmen xuéxiào de túshūguǎn, yí cì zuì duō kěyǐ jiè jǐ běn shū?   ànzhào
(4) 在你们学校的图书馆，一次最多可以借几本书？（按照）

→ _____

Nǐ zhīdào Zhōngguó rén jié hūn de shíhou chuān shénme ma?   ànzhào
(5) 你知道中国人结婚的时候穿什么吗？（按照）

→ _____

Nǐ shì zěnme xué Hànyǔ de? Nǐ juéde nǐ de xuéxí fāngfǎ zěnmeyàng?   ànzhào
(6) 你是怎么学汉语的？你觉得你的学习方法怎么样？（按照）

→ _____

1. 把下列选项按照合适的顺序排列起来，然后朗读。Put the following items in order and then read the paragraph aloud.

　　shǒujī lǐ yǒu hěn duō zhòngyào de diànhuà hàomǎ. Āliàng hěn zháojí
a. 手机里有很多重要的电话号码，阿亮很着急

　　yǒu rén kànjiànle nàge xiǎotōu, Āliàng ànzhào nàge rén de huíyì huàchūle yì zhāng xiàng
b. 有人看见了那个小偷，阿亮按照那个人的回忆画出了一张像

　　jǐngchá ànzhào huàxiàng hěn kuài jiù bǎ nàge xiǎotōu zhǎo chulai le
c. 警察按照画像很快就把那个小偷找出来了

　　yǒu yì tiān, huàjiā Āliàng zài mǎi dōngxi de shíhou, shǒujī bèi rén tōuzǒu le
d. 有一天，画家阿亮在买东西的时候，手机被人偷走了

　　ránhòu tā bǎ xiǎotōu de huàxiàng jiāogěi jǐngchá
e. 然后他把小偷的画像交给警察

_____

2. 参照下表，根据提示，说说你对筷子这种餐具的认识，并写下来。（写8—10句话）Look at the form below, talk about what you know about chopsticks based on the prompts given, and write a paragraph about it. (Write 8-10 sentences.)

问题	回答
1. 筷子是怎么诞生的？	
2. 你会用筷子吗？	
3. 你是怎么学会用筷子的？	
4. 你觉得用筷子吃饭有什么好处？有什么不方便的地方？	

　　Kuàizi shì sìqiān duō nián qián dànshēng de.
筷子是四千多年前诞生的。_____

_____

_____

_____

慢生活
Slow life

一　词汇练习　Vocabulary Exercises

1. 选词填空并朗读。Choose a word to fill in each blank and then read the sentences aloud.

> dùn　　　　wǎn
> a. 顿　　b. 碗

Ānni   wèile jiǎn féi,   yì tiān zhǐ chī yí   fàn.
(1) 安妮 为了 减肥，一天 只 吃 一_____饭。

Wǒ hái méiyǒu chībǎo,   zài gěi wǒ lái bàn   mǐfàn ba.
(2) 我 还 没有 吃饱，再 给 我 来 半_____米饭 吧。

> huòzhě　　　háishi
> a. 或者　　b. 还是

Huānyíng nǐ lái wǒ jiā zuò kè,   nǐ xiǎng hē chá   kāfēi?
(3) 欢迎 你 来 我 家 做客，你 想 喝 茶_____咖啡？

Zhōumò wǒ xǐhuan guàngguang shūdiàn,   gēn péngyou liáoliao tiānr.
(4) 周末 我 喜欢 逛逛 书店，_____跟 朋友 聊聊 天儿。

> ràng　　　shǐ
> a. 让　　b. 使

Hùliánwǎng   wǒmen de shēnghuó biàn de fēngfù ér yǒuqù.
(5) 互联网_____我们 的 生活 变 得 丰富 而 有趣。

Jiàoyù xiàndàihuà shì   jiàoyù cóng chuántǒng zǒuxiàng xiàndài,   yǔ xiàndài shèhuì yìqǐ fāzhǎn.
(6) 教育 现代化 是_____教育 从 传统 走向 现代，与 现代 社会 一起 发展。

2. 连线并朗读。Match and read aloud.

提出　　　　放松　　　　释放　　　　尊重　　　　泡　　　　逛

压力　　　各国习俗　　书店　　　　茶　　　理念　　　心情

3. 根据图片选择相应的词语。Choose the corresponding word for each picture.

a. 放松　　b. 忙碌　　c. 饭　　d. 书店　　e. 道歉　　f. 工具

(1) _____　　(2) _____　　(3) _____　　(4) _____　　(5) _____　　(6) _____

4. 选词填空并朗读。Choose a word to fill in each blank and then read the sentences aloud.

	xiàndài rén	duàn	dǎrǎo	zūnzhòng	kěkào	jiézòu
	a. 现代人	b. 段	c. 打扰	d. 尊重	e. 可靠	f. 节奏

(1) ＿＿＿＿＿一下，请问 您是这里的 销售员 吗？
yíxià, qǐngwèn nín shì zhèli de xiāoshòuyuán ma?

(2) 我在北京学习了一年，以后又在那儿工作了一＿＿＿＿时间。
Wǒ zài Běijīng xuéxíle yì nián, yǐhòu yòu zài nàr gōngzuòle yí shíjiān.

(3) ＿＿＿＿＿每天看电脑的时间太 长，这对眼睛很不好。
měi tiān kàn diànnǎo de shíjiān tài cháng, zhè duì yǎnjing hěn bù hǎo.

(4) 大 城市 的 生活＿＿＿＿很 快，压力很大。
Dà chéngshì de shēnghuó hěn kuài, yālì hěn dà.

(5) 他做什么事都不请别人帮 忙，他觉得自己才是最＿＿＿＿的。
Tā zuò shénme shì dōu bù qǐng biéren bāng máng, tā juéde zìjǐ cái shì zuì de.

(6) 我很＿＿＿＿您的意见，让我再 想想。
Wǒ hěn nín de yìjiàn, ràng wǒ zài xiǎngxiang.

语法练习　Grammar Exercises

1. 把"应该"填到句中合适的位置，然后朗读。Choose the right positions for"应该"and then read the sentences aloud.

(1) 我 觉得 你＿＿a＿＿去＿＿b＿＿参加 这个 聚会，＿＿c＿＿放松 一下 心情。
Wǒ juéde nǐ qù cānjiā zhège jùhuì, fàngsōng yíxià xīnqíng.

(2) ＿＿a＿＿我们＿＿b＿＿尽 最大的 努力＿＿c＿＿解决 这个 问题。
wǒmen jìn zuì dà de nǔlì jiějué zhège wèntí.

(3) 我＿＿a＿＿觉得＿＿b＿＿你＿＿c＿＿穿 这件 白色的 裙子。
Wǒ juéde nǐ chuān zhè jiàn báisè de qúnzi.

(4) ＿＿a＿＿说 话的时候，我们＿＿b＿＿多＿＿c＿＿想想 对方的 心情。
shuō huà de shíhou, wǒmen duō xiǎngxiang duìfāng de xīnqíng.

(5) 他＿＿a＿＿还 小，你＿＿b＿＿不＿＿c＿＿这么 说 他。
Tā hái xiǎo, nǐ bù zhème shuō tā.

(6) 每 到 节日的时候，我们＿＿a＿＿向 老师＿＿b＿＿表达 一下＿＿c＿＿问候。
Měi dào jiérì de shíhou, wǒmen xiàng lǎoshī biǎodá yíxià wènhòu.

2. 用下列词语组句，然后朗读。Make sentences using the following words/phrases and then read the sentences aloud.

(1) 能 打电话　还　能 上 网　发 短信　手机　不只　聊 天儿
néng dǎ diànhuà　hái　néng shàng wǎng　fā duǎnxìn　shǒujī　bù zhǐ　liáo tiānr

→ ＿＿＿＿＿＿＿＿＿＿＿＿＿＿＿＿＿＿＿＿＿＿

(2) 喜欢 看 书　写 小说　不只　还　喜欢　他
xǐhuan kàn shū　xiě xiǎoshuō　bù zhǐ　hái　xǐhuan　tā

→ ＿＿＿＿＿＿＿＿＿＿＿＿＿＿＿＿＿＿＿＿＿＿

(3) 塑料袋　对身体　破坏 环境　不只　有 不好 的 影响　还
sùliàodài　duì shēntǐ　pòhuài huánjìng　bù zhǐ　yǒu bù hǎo de yǐngxiǎng　hái

→ ＿＿＿＿＿＿＿＿＿＿＿＿＿＿＿＿＿＿＿＿＿＿

bù zhǐ   hái   hěn yánzhòng   zhège chéngshì   bù jǐngqì   jīngjì   wūrǎn
(4) 不只   还   很 严重   这个 城市   不景气   经济   污染

→ _____

hái   xiěcuò le   tiēcuò le   bù zhǐ   tā   yóupiào   dìzhǐ
(5) 还   写错 了   贴错 了   不只   她   邮票   地址

→ _____

bù zhǐ   hái   niánqīngrén xǐhuan   zhège diànshìjù   hěn shòu lǎoniánrén huānyíng
(6) 不只   还   年轻人 喜欢   这个 电视剧   很 受 老年人 欢迎

→ _____

3. 用"不只 X，还 Y"和"应该"把下面两个句子合并成一句，然后朗读。Combine each pair of sentences into one using "不只 X，还 Y" and "应该" and then read the new sentences aloud.

Wǒmen yào xuéxí wàiyǔ.   Wǒmen yào xuéxí nà zhǒng yǔyán de wénhuà hé xísú.
(1) 我们 要学习外语。我们 要学习那 种 语言的 文化和习俗。

→ 我们不只要学习外语，还应该学习那种语言的文化和习俗。/

Wǒmen bù zhǐ yào xuéxí wàiyǔ, hái yīnggāi xuéxí nà zhǒng yǔyán de wénhuà hé xísú.

Gōngsī yào mài chǎnpǐn.   Gōngsī yào mài fúwù.
(2) 公司 要卖产品。公司要卖服务。

→ _____

Xiàndài rén yào chī de bǎo.   Xiàndài rén yào chī de jiànkāng.
(3) 现代 人要吃得饱。现代人要吃得 健康。

→ _____

Nǐ yào chōu kòngr péi tā.   Nǐ yào sònggěi tā yìxiē lǐwù.
(4) 你要 抽 空儿陪她。你要 送给 她一些 礼物。

→ _____

Nǚrén yào yǒu yí ge hǎo zhàngfu.   Nǚrén yào yǒu jǐ ge hǎo péngyou.
(5) 女人要有一个好 丈夫。女人要有几个好 朋友。

→ _____

Xué Hànyǔ yào duō tīng lùyīn.   Xué Hànyǔ yào duō gēn Zhōngguó rén liáo tiānr.
(6) 学 汉语要多听录音。学汉语要多跟 中国 人聊 天儿。

→ _____

 三 听力练习 Listening Exercises

06-1

1. 听短对话，选择正确答案。Listen to the short dialogues and choose the right answers.

Zhōngguó yǒu hěn duō mínzú   Zhōngguó rén dōu shì Hànzú   Zhōngguó rén dōu shuō Hànyǔ
(1) a. 中国 有很多民族 b. 中国 人都是汉族 c. 中国 人都说汉语

yīnggāi jǔbàn àoyùnhuì   yīnggāi fāzhǎn jīngjì   yīnggāi gěi àoyùnhuì zuò guǎnggào
(2) a. 应该 举办 奥运会 b. 应该 发展 经济 c. 应该 给奥运会做 广告

2. 听长对话，选择正确答案。Listen to the long dialogues and choose the right answers.

(1) a. gōngzī gāo de gōngzuò
工资 高 的 工作　　b. yālì xiǎo de gōngzuò
压力 小 的 工作　　c. gǎn xìngqù de gōngzuò
感 兴趣 的 工作

(2) a. bǎ fángjiān nòng de luànqībāzāo
把 房间 弄 得 乱七八糟　　b. zǒng gēn zhàngfu chǎo jià
总 跟 丈夫 吵架　　c. bù xǐhuan háizi
不 喜欢 孩子

四　汉字练习　Exercises on Chinese Characters

1. 用下列汉字组词。Make words using the following characters.

放：_____、_____、_____

道：_____、_____、_____

2. 听写句子。Write down the sentences you hear.

(1) _____

(2) _____

五　交际练习　Communicative Exercise

根据提示词语完成对话。Complete the dialogues based on the hints given.

(1) A：Dàifu, wǒ zuìjìn shēntǐ bú tài hǎo, zǒng tóuténg.
大夫，我 最近 身体 不太 好，总 头疼。

B：Nǐ xī yān ma?
你 吸 烟 吗？

A：Xī yān. Wǒ_____（不只），有时 还 吸 得 比较 多。

B：Nǐ zuìhǎo bié_____吸 yān bù zhǐ_____（影响），还_____

_____。

A：Hǎo, wǒ shìshi ba. Nà wǒ néng hē jiǔ ma?
好，我 试试 吧。那 我 能 喝 酒 吗？

B：Nǐ yīnggāi shǎo_____，duō_____（运动）。
你 应该 少_____，多_____（运动）。

(2) A：Míngtiān shì Zhōngqiū Jié, Fāngfāng qǐng wǒ qù tā jiā zuò kè.
明天 是 中秋 节，方方 请 我 去 她 家 做客。

B：Hǎo a, zài Zhōngguó rén jiā_____（过），多 有 意思 啊！
好 啊，在 中国 人家_____（过），多 有 意思 啊！

A：Nǐ juéde wǒ yīnggāi_____（礼物）？
你 觉得 我 应该_____（礼物）？

B：_____。（最好）

A：Zhōngguó rén guò Zhōngqiū Jié de shíhou dōu zuò shénme? Zhǐ chī yuèbing ma?
中国 人 过 中秋 节 的 时候 都 做 什么？只 吃 月饼 吗？

Rénmen

B：人们_____（不只……，还……）。

bù zhǐ……，　hái……

六　语篇练习　Textual Exercise

参照下表，对比慢生活和快生活的异同，说说你现在的生活情况，并写下来，注意用上"应该"和"不只 X，还 Y"。（写 8—10 句话）Look at the form below and compare slow life with quick life. Talk about your current life and write a paragraph. Remember to use"应该"and"不只 X，还 Y".(Write 8-10 sentences.)

	慢生活	快生活
1. 理念		
2. 日常活动		
3. 影响（跟别人的关系、心情等）		
4. 我的生活态度		

_____

_____

_____

_____

Jiǎn   kùzi

剪裤子
Shortening pants

一 词汇练习 Vocabulary Exercises

1. 选词填空并朗读。 Choose a word to fill in each blank and then read the sentences aloud.

(1) 妈妈一直_____着我的身体 情况，我告诉她别_____。（a. 惦记 b. 担心）
Māma yìzhí _____ zhe wǒ de shēntǐ qíngkuàng, wǒ gàosu tā bié _____. （diànjì dānxīn）

(2) 这是我第一次_____着做鱼，请大家_____一下。（a. 尝 b. 试）
Zhè shì wǒ dì-yī cì _____ zhe zuò yú, qǐng dàjiā _____ yíxià. （cháng shì）

(3) 昨 晚_____睡前，父亲问我："你_____毕业了，有什么打算？"（a. 临 b. 快要）
Zuó wǎn _____ shuì qián, fùqīn wèn wǒ: "Nǐ _____ bì yè le, yǒu shénme dǎsuàn?" （lín kuài yào）

(4) 你爸爸出去_____头发了，我们 等 他回来一起_____蛋糕。（a. 剪 b. 切）
Nǐ bàba chūqu _____ tóufa le, wǒmen děng tā huílai yìqǐ _____ dàngāo. （jiǎn qiē）

(5) _____中，我是一只会飞的鸟，可醒了却发现那只是一个_____。
_____ zhōng, wǒ shì yì zhī huì fēi de niǎo, kě xǐngle què fāxiàn nà zhǐ shì yí ge _____.

（a. 梦 b. 睡梦）
（mèng shuìmèng）

(6) 我记错了 时间，五点 四十五 到了 剧院 门口，_____音乐会 已经_____了。
Wǒ jìcuòle shíjiān, wǔ diǎn sìshíwǔ dàole jùyuàn ménkǒu, _____ yīnyuèhuì yǐjīng _____ le.

（a. 结束 b. 结果）
（jiéshù jiéguǒ）

2. 选词填空并朗读。 Choose a word to fill in each blank and then read the sentences aloud.

> a. 典礼 b. 悄悄 c. 半夜 d. 猛然 e. 一大早 f. 孙子
> *diǎnlǐ   qiāoqiāo   bàn yè   měngrán   yí dà zǎo   sūnzi*

(1) 为了 锻炼 身体，黄 月 每 天_____就去 操场 跑步。
Wèile duànliàn shēntǐ, Huáng Yuè měi tiān _____ jiù qù cāochǎng pǎo bù.

(2) 阿里 晚上 喝了 很 多 水，_____去了 好几 次 厕所。
Ālǐ wǎnshang hēle hěn duō shuǐ, _____ qùle hǎojǐ cì cèsuǒ.

(3) 欢迎 大家来 参加 我们 的 结婚_____。
Huānyíng dàjiā lái cānjiā wǒmen de jié hūn _____.

(4) _____从 外地 回 家乡 过 春节，爷爷 奶奶 十分 高兴。
_____ cóng wàidì huí jiāxiāng guò Chūnjié, yéye nǎinai shífēn gāoxìng.

(5) 考完 试，走出 教室 的 时候，我_____想起 没 写 名字。
Kǎowán shì, zǒuchū jiàoshì de shíhou, wǒ _____ xiǎngqǐ méi xiě míngzi.

(6) 本杰明_____告诉 方方，自己 一直 很 喜欢 她。
Běnjiémíng _____ gàosu Fāngfāng, zìjǐ yìzhí hěn xǐhuan tā.

3. 连线并朗读。 Match and read aloud.

节约   照顾   打工   辞掉   回忆   充满

感激   挣钱   工作   儿孙   小时候   粮食

4. 把下面的量词分类。Categorize the following measure words.

mǐ	píngfāngmǐ	píngfāng gōnglǐ	cùn	mǔ	gōnglǐ
a. 米	b. 平方米	c. 平方公里	d. 寸	e. 亩	f. 公里

chángdù dānwèi
长度 单位（units of length）：_____、_____、_____

miànjī dānwèi
面积 单位（units of area）：_____、_____、_____

二 语法练习 Grammar Exercises

1. 选择合适的词语填空。Choose a word to fill in each blank.

wèi	wèile	yīnwèi
a. 为	b. 为了	c. 因为

guò yí ge chōngshí de shǔjià, Fāngfāng xiǎng qù lǎorényuàn péi lǎorén.
(1) _____过一个 充实 的 暑假，方方 想 去 老人院 陪 老人。

Lǎoshī, duìbuqǐ, wǒ zuótiān méi lái shàng kè shì gǎnmào le.
(2) 老师，对不起，我 昨天 没来 上课 是_____感冒 了。

Wáng xiānsheng qīzi mǎile yí shù xiānhuār.
(3) 王 先生 _____妻子 买了 一束 鲜花儿。

tīngshuō érsūn dōu huí jiā guò Chūnjié, yéye nǎinai zuòle yì zhuōzi fēngshèng de fàncài.
(4) _____听说 儿孙 都 回家 过 春节，爷爷 奶奶 做了 一桌子 丰盛 的 饭菜。

Huàjiā xiānsheng, qǐngwèn, nín kěyǐ wǒ huà yì zhāng xiàng ma?
(5) 画家 先生，请问，您 可以_____我 画 一 张 像 吗？

néng shòu yìdiǎnr, Ānni wǎnshang cháng bù chī fàn.
(6) _____能 瘦 一点儿，安妮 晚上 常 不 吃 饭。

2. 把下列词语扩展成词组和句子，注意用上"v.+起"。Expand the following words to make phrases and sentences. Remember to use "v.+起".

(1) 说——说起——说起那件事——说起那件事，大家都感到很不好意思。

(2) 聊——_____——_____——_____

(3) 问——_____——_____——_____

(4) 想——_____——_____——_____

(5) 回忆——_____——_____——_____

(6) 记——_____——_____——_____

3. 把括号里的词语填到句中合适的位置，然后朗读。Choose the right positions for the words in brackets and then read the sentences aloud.

Ānni mǎidào yì tiáo piàoliang de qúnzi, guàngle yì tiān shāngchǎng. wèile
(1) _a_安妮_b_买到 一条 漂亮 的 裙子，_c_逛了 一天 商场。（为了）

shíxiàn zìjǐ de mèngxiǎng, Xiǎo Lǐ nǔlì liànxí tán gāngqín. wèile
(2) _a_实现 自己_b_的 梦想，小李_c_努力 练习 弹 钢琴。（为了）

(3) _a_ 本杰明 _b_ 给 方方 _c_ 买一件满意的礼物，想了好半天。（为了）

Běnjiémíng gěi Fāngfāng mǎi yí jiàn mǎnyì de lǐwù, xiǎngle hǎo bàntiān. wèile

(4) 李秘书已经很 伤心 _a_ 了，请不要再提 _b_ 那件事 _c_ 了。（起）

Lǐ mìshū yǐjīng hěn shāngxīn le, qǐng búyào zài tí nà jiàn shì le. qǐ

(5) 每次吃 _a_ 炸酱面，都会让我想 _b_ 妈妈 _c_ 。（起）

Měi cì chī zhájiàngmiàn, dōu huì ràng wǒ xiǎng māma qǐ

(6) 说 _a_ 提高 _b_ 玉米产量，王 教授 说 _c_ 他有一个好办法。（起）

Shuō tígāo yùmǐ chǎnliàng, Wáng jiàoshòu shuō tā yǒu yí ge hǎo bànfǎ. qǐ

三 听力练习 Listening Exercises

07-1

1. 听短对话，选择正确答案。 Listen to the short dialogues and choose the right answers.

(1) a. 没 完成 作业　　b. 想 早点儿 完成 实验　　c. 准备 参加 考试

méi wánchéng zuòyè　xiǎng zǎo diǎnr wánchéng shíyàn　zhǔnbèi cānjiā kǎoshì

(2) a. 打 篮球　　b. 踢 足球　　c. 打 乒乓球

dǎ lánqiú　tī zúqiú　dǎ pīngpāngqiú

07-2

2. 听长对话，选择正确答案。 Listen to the long dialogues and choose the right answers.

(1) a. 准备 考试　　b. 喜欢 在 家 看 书　　c. 寒假 时间 太 短 了

zhǔnbèi kǎoshì　xǐhuan zài jiā kàn shū　hánjià shíjiān tài duǎn le

(2) a. 国外 的 生活　　b. 到处 旅行　　c. 在 巴黎 见到 阿丽

guówài de shēnghuó　dàochù lǚxíng　zài Bālí jiàndào Ālì

四 汉字练习 Exercises on Chinese Characters

1. 根据拼音写出正确的汉字，然后朗读。 Write down the right characters based on the *pinyin*, and then read the sentences aloud.

(1) _____(dì)二天一大早，我的那个小兄_____(dì)就出门了。

(2) 这是今年的新样_____(shì)，您_____(shì)一下吧。

07-3

2. 听写句子。 Write down the sentences you hear.

(1) _____

(2) _____

五 交际练习 Communicative Exercise

询问你的同学或朋友下列问题，用"为了"或"v.＋起"回答。 Ask a classmate or friend the following questions and they should answer them with "为了" or "v.＋起".

(1) 怎么 做 才 能 让 婚姻 幸福？（为了）

Zěnme zuò cái néng ràng hūnyīn xìngfú? wèile

→ _____

Rúguǒ nǐ péngyou shēng qì le, nǐ huì zěnme bàn?　wèile
(2) 如果你 朋友 生气了，你会 怎么 办？（为了）

→ _____

Nǐ rènwéi yào xiǎng shíxiàn zìjǐ de mèngxiǎng, yīnggāi zěnme zuò?　wèile
(3) 你认为要 想 实现自己的 梦想，应该 怎么 做？（为了）

→ _____

Shénme shíhou nǐ huì xiǎng jiā?　qǐ
(4) 什么 时候你会 想 家？（v.＋起）

→ _____

Gēn péngyou liáo tiānr de shíhou, nǐmen cháng liáo shénme?　qǐ
(5) 跟 朋友 聊天儿的时候，你们 常 聊 什么？（v.＋起）

→ _____

Kàndào shénme nǐ huì xiǎngqǐ xiǎoshíhou?　qǐ
(6) 看到 什么 你会 想起 小时候？（v.＋起）

→ _____

六　语篇练习　Textual Exercises

1. 把下列选项按照合适的顺序排列起来，然后朗读。Put the following items in order and then read the paragraph aloud.

yì tiān, yí ge lǎo tóngxué jǔbànle yí cì xiǎoxué tóngxué jùhuì
a. 一天，一个老 同学 举办了 一次 小学 同学 聚会

dàjiā yí jiàn miàn jiù liáoqǐle xiǎoxué shí de xuéxí shēnghuó, fēicháng xīngfèn
b. 大家 一 见 面 就 聊起了 小学 时 的 学习 生活，非常 兴奋

gèng ràng wǒmen gǎndào xīngfèn de shì, Zhāng lǎoshī yě lái le
c. 更 让 我们 感到 兴奋 的 是，张 老师 也来了

jùhuì shì zài yì jiā kāfēiguǎnr jǔxíng de
d. 聚会 是 在 一 家 咖啡馆儿 举行 的

kàndào Zhāng lǎoshī, dàjiā xīnzhōng dōu chōngmǎnle gǎnjī
e. 看到 张 老师，大家 心中 都 充满了 感激

_____

2. 学校要放 4 天假，阿里想锻炼身体，又想提高汉语水平，还想轻松一下。根据下边的提示，为阿里安排一个 4 天的假期，说说为什么这样安排，并写下来，注意用上"为了"。（写 8—10 句话）A four-day holiday is approaching. Ali wants to spend the holiday working out, improving his Chinese proficiency and relaxing. Make a four-day schedule for Ali based on the prompts given. Talk about the reasons for the schedule and write a paragraph about them. Remember to use "为了". (Write 8-10 sentences.)

	第一天	第二天	第三天	第四天
早上	6:30—7:00 跑步	6:30—7:00 跑步	6:30—7:00 跑步	6:30—7:00 跑步

上午				
下午				
晚上				

Wèile duànliàn shēntǐ, Ālǐ yīnggāi měi tiān zǎoshang pǎo bàn ge xiǎoshí bù.
为了 锻炼 身体，阿里 应该 每天 早上 跑 半个 小时 步。_____

_____

_____

_____

_____

_____

吐鲁番

Turpan

一 词汇练习　Vocabulary Exercises

1. 根据图片选择相应的词语。Choose the corresponding word for each picture.

a. 沙土　　　b. 白天　　　c. 皮袄　　　d. 纱　　　e. 火炉　　　f. 哈密瓜

| (1) _____ | (2) _____ | (3) _____ | (4) _____ | (5) _____ | (6) _____ |

2. 选词填空并朗读。Choose a word to fill in each blank and then read the sentences aloud.

> liúxíng　　liúchuán
> a. 流行　　b. 流传

Zài wǒ de jiāxiāng,　　zhe zhèyàng yí ge gùshi.
(1) 在我的家乡，_____着这样一个故事。

Jīnnián xiàtiān　　chuān lùsè de qúnzi.
(2) 今年夏天_____穿绿色的裙子。

> tèbié　　tècháng
> a. 特别　　b. 特长

Zhè duàn shíjiān tā de shēnghuó yālì　　dà.
(3) 这段时间他的生活压力_____大。

Qǐngwèn, nǐ yǒu shénme tǐyù
(4) 请问，你有什么体育_____?

> dàochù　　gèdì
> a. 到处　　b. 各地

Tā de mèngxiǎng shì dào shìjiè　　qù kànkan.
(5) 他的梦想是到世界_____去看看。

Zhège chéngshì li　　dōu hěn yōngjǐ.
(6) 这个城市里_____都很拥挤。

3. 连线并朗读。Match and read aloud.

| 年长的 | 日常 | 一位 | 一个 | 紧急 | 什么 |

| 世纪 | 圣人 | 样子 | 女性 | 生活 | 情况 |

4. 选词填空并朗读。Choose a word to fill in each blank and then read the sentences aloud.

súyǔ	jiǎrú	shēng	liàn'ài	lěngjìng	shēnbiān
a. 俗语	b. 假如	c. 生	d. 恋爱	e. 冷静	f. 身边

Nǐ zhīdào nǎxiē Hànyǔ
(1) 你知道哪些汉语_____?

Māma xīwàng wǒ yǐhòu néng zài tā gōngzuò, búyào qù wàidì.
(2) 妈妈希望我以后能在她_____工作，不要去外地。

Tīngshuō nǐ gēn Fāngfāng le, zhè shì shénme shíhou de shì a?
(3) 听说你跟方方_____了，这是什么时候的事啊?

Mǎ jīnglǐ zài shénme shíhou dōu néng bǎochí
(4) 马经理在什么时候都能保持_____。

méiyǒu shǒujī, wǒmen de shēnghuó huì biànchéng shénme yàngzi ne?
(5) _____没有手机，我们的生活会变成什么样子呢?

Wǒ chángguo le, zhège ròu yǒudiǎnr nǐ zài zhǔzhu ba.
(6) 我尝过了，这个肉有点儿_____，你再煮煮吧。

语法练习 Grammar Exercises

1. 连线并朗读。Match and read aloud.

dào nián shēngchǎn de jìsuànjī
1957 到 1964 年 生产 的 计算机

bèi chēngwéi dì-èr dài jìsuànjī
被 称为 第二代 计算机

Zhōngguó de Chángchéng
中国 的 长城

chēngwéi zàoyīn
称为 噪音

wǒmen bǎ zhè zhǒng cāi cí de yóuxì
我们 把 这 种 猜词 的 游戏

bèi chēngwéi shíbā shìjì
被 称为 十八 世纪

wǒmen bǎ ràng rén bù shūfu de shēngyīn
我们 把 让 人 不 舒服 的 声音

bèi chēngwéi shìjiè bā dà qíjì zhī yī
被 称为 世界 八 大 奇迹 之 一

nián dào nián zhè duàn shíjiān
1701 年 到 1800 年 这 段 时间

chēngwéi míyǔ
称为 谜语

zuìjìn liù ge yuè shǐyòngguo hùliánwǎng de rén
最近 六 个 月 使用过 互联网 的 人

bèi chēngwéi wǎngmín
被 称为 网民

2. 用下列词语和"当……的时候"组句，然后朗读。Make sentences using the following words/phrases with "当……的时候" and then read the sentences aloud.

zǒngshì tā hěn xīngfèn wánr yóuxì
(1) 总是 他 很 兴奋 玩儿 游戏

→ _____

wǒ xǐhuan sàn bù xià xiǎo yǔ zài wàibian
(2) 我喜欢 散步 下 小雨 在 外边

→ _____

wǒ shàng tái lǐng jiǎng fùmǔ hěn gǎnjī
(3) 我 上 台 领 奖 父母 很 感激

→ _____

nǎinai zǒngshì huíyì jiāxiāng huì liú yǎnlèi
(4) 奶奶 总是 回忆 家乡 会 流 眼泪

→ _____

(5) sònggěi wǒ　èrshí suì shēngrì　yí ge zhàoxiàngjī　māma
　　送给 我　二十岁生日　一个 照相机　妈妈

　　→ _____

(6) hěn xīngfèn　bì yè diǎnlǐ　wǒ gǎndào　cānjiā
　　很 兴奋　毕业典礼　我 感到　参加

　　→ _____

3. 根据实际情况回答问题。Answer the following questions based on the actual situations.

Dāng nǐ bù shūfu de shíhou, nǐ cháng zuò shénme?
(1) 当 你不舒服的时候，你 常 做 什么？

　　→ _____

Dāng nǐ hàipà de shíhou, nǐ cháng zuò shénme?
(2) 当 你害怕的时候，你 常 做 什么？

　　→ _____

Dāng nǐ chénggōng de shíhou, nǐ cháng zuò shénme?
(3) 当 你 成功 的时候，你 常 做 什么？

　　→ _____

Dāng nǐ shuì bu zháo jiào de shíhou, nǐ cháng zuò shénme?
(4) 当 你睡不着觉的时候，你 常 做 什么？

　　→ _____

Dāng nǐ bù kāixīn de shíhou, nǐ cháng zuò shénme?
(5) 当 你不开心的时候，你 常 做 什么？

　　→ _____

Dāng nǐ yālì hěn dà de shíhou, nǐ cháng zuò shénme?
(6) 当 你压力很大的时候，你 常 做 什么？

　　→ _____

 听力练习　Listening Exercises

1. 听短对话，选择正确答案。Listen to the short dialogues and choose the right answers.

08-1

Zhōngguó de xiàtiān hěn rè　　Zhōngguó yǒu sì zuò chéngshì　　Zhōngguó rén dōngtiān xǐhuan
(1) a.中国 的夏天很热　b.中国 有四座 城市　c.中国 人 冬天喜欢
xiàtiān fēicháng rè　　　　yòng huǒlú
夏天 非常 热　　　　用 火炉

yīnggāi yǒu huār　　　　bú jìde le　　　　hěn làngmàn
(2) a.应该 有花儿　b.不记得了　c.很 浪漫

2. 听长对话，选择正确答案。Listen to the long dialogues and choose the right answers.

08-2

tā yánjiū jiǎgǔwén　　tā zuò ruǎnjiàn　　tā shì yì jiā Zhōngguó gōngsī
(1) a.它研究 甲骨文　b.它做 软件　c.它是一家 中国 公司

40

                                                                                          bù xiǎng shuō zìjǐ   shì bu shì xǐhuan
    bù xǐhuan lǐwù   gèng zhòngshì qíngyì
(2) a. 不喜欢 礼物   b. 更   重视 情谊   c. 不 想 说 自己 是 不 是 喜欢

四 汉字练习 Exercises on Chinese Characters

1. 用下列汉字组词。Make words using the following characters.

语：＿＿＿＿＿＿、＿＿＿＿＿＿、＿＿＿＿＿＿、＿＿＿＿＿

产：＿＿＿＿＿＿、＿＿＿＿＿＿、＿＿＿＿＿＿、＿＿＿＿＿

2. 听写句子。Write down the sentences you hear.

08-3

(1) ＿＿＿＿＿＿＿＿＿＿＿＿＿＿＿＿＿＿＿＿＿＿＿＿＿＿＿＿

(2) ＿＿＿＿＿＿＿＿＿＿＿＿＿＿＿＿＿＿＿＿＿＿＿＿＿＿＿＿

五 交际练习 Communicative Exercise

根据提示词语完成对话。Complete the dialogues based on the hints given.

       Zài nǐmen bān,   shòu huānyíng
(1) A：在你们 班，＿＿＿＿＿＿＿＿＿＿＿（受 欢迎）？

       Dāngrán shì Ālǐ,   tā shì wǒmen de "kāixīnguǒ".
    B：当然 是 阿里，他 是 我们 的 "开心果"。

       Shénme jiào "kāixīnguǒ"?
    A：什么 叫 "开心果"？

       Rúguǒ yí ge rén hěn yōumò,   tā cháng   bèi chēngwéi
    B：如果 一个 人 很 幽默，他 常 ＿＿＿＿＿＿＿＿＿＿（被 称为 ）。

       Tā chángcháng   kāi wánxiào
    A：他 常常 ＿＿＿＿＿＿＿＿＿＿（开 玩笑）？

       Duì, tā chúle   hái ài bāngzhù rén.
    B：对，他 除了＿＿＿＿＿＿＿＿＿＿，还 爱 帮助 人。＿＿＿＿＿＿＿＿＿

       dāng…… de shíhou   tā yě xǐhuan bāng máng.
    （当……的 时候），他 也 喜欢 帮 忙。

       Ānni,   nǐ xǐhuan kàn diànyǐng ma?
(2) A：安妮，你 喜欢 看 电影 吗？

       Wǒ tèbié xǐhuan kàn diànyǐng, dāng   wǒ juéde
    B：我 特别 喜欢 看 电影，当 ＿＿＿＿＿＿＿＿＿，我 觉得＿＿＿＿＿＿＿＿＿。

       Jīntiān wǎnshang yǒu yí bù jièshào Méi Lánfāng de diànyǐng, nǐ xiǎng qù kàn ma?
    A：今天 晚上 有 一部 介绍 梅 兰芳 的 电影，你 想 去 看 吗？

       Hǎo a,   wǒ tīngshuōguo tā de gùshi,   tā   jīngjù   yìshùjiā
    B：好 啊，我 听说 过 他 的 故事，他＿＿＿＿＿＿＿＿＿（京剧 艺术家）。

       Xīwàng diànyǐng li néng yǒu yìxiē xìqǔ de bùfen, dāng   wǒ juéde
    A：希望 电影 里 能 有 一些 戏曲 的 部分，当＿＿＿＿＿＿＿＿＿＿，我 觉得

    ＿＿＿＿＿＿＿＿＿＿。

       Wǒ juéde diànyǐng li kěndìng huì yǎn Méi Lánfāng chàng jīngjù de, wǒmen qù kànkan ba.
    B：我 觉得 电影 里 肯定 会 演 梅 兰芳 唱 京剧 的，我们 去 看看 吧。

参照下表，将本课学的吐鲁番和你现在生活的城市进行比较，并写下来，注意用上"称为"和"当……的时候"。（写 8—10 句话）Look at the form below and compare Turpan with the city you live in. Write a paragraph about them. Remember to use "称为" and "当……的时候". (Write 8-10 sentences.)

比较项目	吐鲁番	我生活的城市
1. 气候		
2. 温度		
3. 季节 （jìjié, season）		
4. 盛产什么		
5. 旅游情况		

_____

_____

_____

_____

_____

Zuò   diàntī

坐 电 梯
Taking the lift

一 词汇练习 Vocabulary Exercises

1. 根据图片选择相应的词语。Choose the corresponding word for each picture.

a. 自习　　b. 男生　　c. 女生　　d. 跑　　e. 楼梯　　f. 按钮

(1) _____　　(2) _____　　(3) _____　　(4) _____　　(5) _____　　(6) _____

2. 选词填空并朗读。Choose a word to fill in each blank and then read the sentences aloud.

yǎnshén　　yǎnjing　　yǎnjìng　　yǎn
a. 眼神　b. 眼睛　c. 眼镜　d. 眼

Dàifu,　qǐng nín kànkan wǒ de　　　　zhè jǐ tiān hěn téng, yǒu shénme wèntí ma?
(1) 大夫，请 您 看看 我 的_____，这 几 天 很 疼，有 什么 问题 吗？

Wǒ de　　zěnme zhǎo bu dào le?　Ālǐ,　nǐ bāng wǒ zhǎozhao ba.
(2) 我 的_____怎么 找 不 到 了？阿里，你 帮 我 找找 吧。

Běnjiémíng dì-yī　　kàndào Fāngfāng de shíhou, jiù xǐhuan shang tā le.
(3) 本杰明 第一_____看到 方方 的 时候，就 喜欢 上 她 了。

Wáng jiàoshòu kàn wǒ de　　jiù xiàng fùqīn yíyàng.
(4) 王 教授 看 我 的_____，就 像 父亲 一样。

Wǒmen de zuòwèi zài dì-yī pái, búyòng dài　　yě néng kàn qīngchu.
(5) 我们 的 座位 在 第一 排，不 用 戴_____也 能 看 清楚。

Nàge nǚshēng gāngcái yòu kànle nǐ yì　　nǐ rènshi tā ma?
(6) 那个 女生 刚才 又 看 了 你 一_____，你 认识 她 吗？

3. 连线并朗读。Match and read aloud.

服务员

(1) 招聘　　　　社会

(2) 进入　　　　生意

(3) 谈　　　　　条件

决赛

销售员

4. 下边几张图都是图书馆里的房间和设施，请根据图片选择相应的词语。The following pictures show the rooms and facilities of a library. Please choose the corresponding word for each picture.

a. 借书室　　b. 书店　　c. 复印室　　d. 自习室　　e. 楼梯　　f. 电梯

(1) _____　　(2) _____　　(3) _____　　(4) _____　　(5) _____　　(6) _____

二 语法练习　Grammar Exercises

1. 用下列词语和"除非……才……"组句，然后朗读。Make sentences using the following phrases and "除非……才……" and then read the sentences aloud.

     Zhèr　néng shuā xìnyòngkǎ　　wǒmen kěyǐ mǎi dōngxi
(1) 这儿 能 刷 信用卡　　我们 可以 买 东西

　　　→ _____

     Māma gěi nàge háizi jiǎng gùshi　　tā yuànyi qù shuì jiào
(2) 妈妈 给 那个 孩子 讲 故事　　她 愿意 去 睡 觉

　　　→ _____

     Wǒmen kěyǐ kāizhe tā chūqu　　néng bǎ zhè liàng chē xiūhǎo
(3) 我们 可以 开着 它 出去　　能 把 这 辆 车 修好

　　　→ _____

     Wǒ néng xiūxi jǐ tiān　　néng bǎ bì yè lùnwén xiěwán
(4) 我 能 休息 几 天　　能 把 毕业 论文 写完

　　　→ _____

     Nǐ dāying wǒ de tiáojiàn　　wǒ bāng nǐ
(5) 你 答应 我 的 条件　　我 帮 你

　　　→ _____

     Fùmǔ tóngyì　　wǒ néng gēn nǐ jié hūn
(6) 父母 同意　　我 能 跟 你 结婚

　　　→ _____

2. 选词填空并朗读。Choose a word to fill in each blank and then read the sentences aloud.

> zhǐ　　　　zhǐ néng　　　　zhǐ yǒu　　　　zhǐhǎo
> a. 只　　b. 只能　　c. 只有　　d. 只好

     Zhè jǐ tiān yìzhí xià dà yǔ, yùndònghuì　　tuīchí dào xià zhōu.
(1) 这 几 天 一直 下 大 雨，运动会 _____ 推迟 到 下 周。

Wǒ   huì qí zìxíngchē, bú huì kāi chē.
(2) 我＿＿＿会 骑 自行车，不 会 开 车。

Duìbuqǐ, xiānsheng, zhèr   cānguān, bù néng pāi zhào.
(3) 对不起，先生，这儿＿＿＿参观，不 能 拍 照。

Zhè jiàn yīfu xiǎo le, wǒ   mǎi yí jiàn xīn de.
(4) 这 件 衣服 小 了，我＿＿＿买 一 件 新 的。

Ālǐ,   nǐ jīntiān wǎnshang   chīle bàn wǎn zhájiàngmiàn, shì bu shì shēntǐ bù shūfu?
(5) 阿里，你 今天 晚上 ＿＿＿吃了 半 碗 炸酱面，是 不 是 身体 不 舒服？

Nǐ xiǎng shuō shénme jiù kuài diǎnr shuō ba, wǒ   shí fēnzhōng de shíjiān.
(6) 你 想 说 什么 就 快点儿 说 吧，我＿＿＿十 分钟 的 时间。

3. 把括号里的词语填到句中合适的位置，然后朗读。Choose the right positions for the words in the brackets and then read the sentences aloud.

nǐ zhǎodào   jiějué wèntí de bànfǎ,   cái néng xià bān. chúfēi
(1) ＿＿a 你 找到 ＿＿b 解决 问题 的 办法，＿＿c 才 能 下 班。（除非）

Zhāng jīnglǐ shuō,   míngtiān xià dà xuě,   huìyì   cái huì tuīchí. chúfēi
(2) ＿＿a 张 经理 说，＿＿b 明天 下 大 雪，会议 ＿＿c 才 会 推迟。（除非）

Dàifu shuō, chúfēi tǐwēn chāoguò   kěyǐ   chī zhè zhǒng yào. cái
(3) 大夫 说，除非 体温 超过 ＿＿a 38.5℃，＿＿b 可以 ＿＿c 吃 这 种 药。（才）

Chúfēi lǎobǎn lái jiǎnchá,   tā   hǎohāor gōngzuò   cái
(4) 除非 老板 来 检查，＿＿a 他 ＿＿b 好好儿 工作 ＿＿c 。（才）

tā   shì yí ge   wǔ suì de háizi, nǐ zěnme néng ràng tā zuò fàn ne? zhǐ
(5) ＿＿a 他 ＿＿b 是 一 个 ＿＿c 五岁 的 孩子，你 怎么 能 让 他 做 饭 呢？（只）

Lǎo nǎinai   zài jíshì shang zuòle   yì tiān,   màile yì bǎ shànzi. zhǐ
(6) 老 奶奶 ＿＿a 在 集市 上 坐了 ＿＿b 一 天，＿＿c 卖了 一 把 扇子。（只）

三 听力练习 Listening Exercises

09-1 1. 听短对话，选择正确答案。Listen to the short dialogues and choose the right answers.

nǚ de bù xiǎng gēn nán de   nǚ de xiǎng kànwán diànyǐng   nǚ de xiǎng xiěwán zuòyè zài
(1) a. 女的 不 想 跟 男的   b. 女的 想 看完 电影   c. 女的 想 写完 作业 再
qù kàn diànyǐng   hòu xiě zuòyè   qù kàn diànyǐng
去 看 电影   后 写 作业   去 看 电影

gòu wù   kàn fēngjǐng   tīng dǎoyóu shuō huà
(2) a. 购 物   b. 看 风景   c. 听 导游 说 话

09-2 2. 听长对话，选择正确答案。Listen to the long dialogues and choose the right answers.

yīnwèi tā bù néng shuō huà   yīnwèi túshūguǎn hěn ānjìng   yīnwèi tā xǐhuan kàn shū
(1) a. 因为 她 不 能 说 话 b. 因为 图书馆 很 安静 c. 因为 她 喜欢 看 书

néng kāikuài yìdiǎnr   kěyǐ fēi guoqu   méiyǒu bànfǎ, kěnéng yào chídào
(2) a. 能 开快 一点儿   b. 可以 飞 过去   c. 没有 办法，可能 要 迟到

四 汉字练习 Exercises on Chinese Characters

1. 辨认汉字，选择正确的汉字填空，然后朗读。Distinguish the characters, choose the right character to fill in each blank, and then read the sentences aloud.

Rúguǒ nǐ yuànyì, wǒmen kěyǐ hé   yìqǐ   shēngyi.
(1) 如果 你 愿意，我们 可以 合＿＿＿，一起 ＿＿＿生意。（a. 做 b. 作）

Zuòzhe děng rén zhēn ____ liáo, tā lái yǐqián, wǒmen ____ kàn yíhuìr diànshì ba.
(2) 坐着 等人真____聊，他来以前，我们____看一会儿电视吧。（a. 无 b. 先）

2. 听写句子。 Write down the sentences you hear.

09-3

(1) _____

(2) _____

五 交际练习　Communicative Exercise

询问你的同学或朋友下列问题，用"除非……才……"或"只"回答。Ask a classmate or friend the following questions and they should answer them with "除非……才……" or "只".

Nǐ měi tiān dōu yào shàng bān / shàng kè ma?
(1) 你每天都要上班/上课吗？

→ _____

Zài nǐmen guójiā, niánqīngrén kěyǐ hē jiǔ ma?
(2) 在你们国家，年轻人可以喝酒吗？

→ _____

Fēijī qǐfēi hòu, kěyǐ suíbiàn dǎ diànhuà ma?
(3) 飞机起飞后，可以随便打电话吗？

→ _____

Lèi de shíhou, nǐ xiǎng zuò shénme?
(4) 累的时候，你想做什么？

→ _____

Nǐ zuò fēijī de shíhou shuìguo jiào ma? Zěnme shuì?
(5) 你坐飞机的时候睡过觉吗？怎么睡？

→ _____

Zài nǐmen guójiā, zhǎo gōngzuò róngyì ma?
(6) 在你们国家，找工作容易吗？

→ _____

六 语篇练习　Textual Exercise

1. 把下列选项按照合适的顺序排列起来，然后朗读。Put the following items in order and then read the paragraph aloud.

yúshì tā qù yīyuàn kàn bìng
a. 于是他去医院看病

Ālǐ wèn dàifu chī shénme yào
b. 阿里问大夫吃什么药

tā de sǎngzi cái néng hǎo
c. 他的嗓子才能好

dàifu shuō chúfēi qiēchú biǎntáotǐ
d. 大夫 说 除非 切除 扁桃体

dàifu fāxiàn tā de biǎntáotǐ bù zhǐ fāyán, hái tèbié yánzhòng
e. 大夫 发现 他 的 扁桃体 不 只 发炎，还 特别 严重

zhè jǐ tiān, Ālǐ sǎngzi téng de lìhai
f. 这 几 天，阿里 嗓子 疼 得 厉害

_____

2. 如果你是一位图书馆馆长，请你制定一个图书馆的规定，说说在图书馆里可以做什么，不能做什么，并写下来，注意用上"只"。Suppose you are a chief librarian. Set rules for the library, including what one may and may not do in it, and write a paragraph about them. Remember to use "只".

	可以做的事	不能做的事
1. 在自习室	自习	聊天儿
2. 在借书室		
3. 在复印室		

Zài zhège túshūguǎn de zìxíshì li, zhǐ néng bù néng
在这个图书馆的自习室里，只能 _____，不能 _____

zhǐ bù Zài
_____；只_____，不_____。在

jièshūshì, Zài
借书室，_____，_____。在

_____

_____

_____ 。

Yǒuqù de xiéyīncí

有趣的谐音词

Interesting homophones

一 词汇练习 Vocabulary Exercises

1. 根据图片选择相应的词语。Choose the corresponding word for each picture.

a. 分离　　b. 鱼　　c. 梨　　d. 钟　　e. 车牌　　f. 谐音词

(1) _____　(2) _____　(3) _____　(4) _____　(5) _____　(6) _____

2. 选词填空并朗读。Choose a word to fill in each blank and then read the sentences aloud.

fēnlí	chūmíng	fǎnyìng	shénmì	rèqíng	niánnián yǒu yú
a. 分离	b. 出名	c. 反映	d. 神秘	e. 热情	f. 年年 有余

Zhège gùshi chū gè guó de fēngsú xíguàn bù tóng.
(1) 这个故事_____出各国的风俗习惯不同。

Tūrán yào gēn jiārén xīnli yǒuxiē nánguò.
(2) 突然要跟家人_____，心里有些难过。

Shénme shì zhème Hái yào qiāoqiāo de shuō.
(3) 什么事这么_____? 还要悄悄地说。

Zhōngguó rén guò nián de shíhou chī yú, shì xīwàng
(4) 中国人过年的时候吃鱼，是希望_____。

Zhè bù xiǎoshuō ràng tā hěn kuài jiù le.
(5) 这部小说让他很快就_____了。

Zhège diàn de lǎobǎn fēicháng
(6) 这个店的老板非常_____。

3. 写出反义词。Write the antonyms.

(1) 干燥——_____　(2) 谦虚——_____　(3) 进步——_____

(4) 冷冰冰——_____　(5) 现代——_____　(6) 冷——_____

4. 选词填空并朗读。Choose a word to fill in each blank and then read the sentences aloud.

péngyou	yǒuhǎo
a. 朋友	b. 友好

Zài wǒmen bān, shéi shì nǐ zuì hǎo de
(1) 在我们班，谁是你最好的_____?

Xiǎo Zhāng hěn rèqíng, tā duì měi ge rén dōu hěn
(2) 小张很热情，他对每个人都很_____。

měi   měilì

a. 美　　b. 美丽

Nǐ qùguo Xīnjiāng ma?　Nà shì yí ge shénmì ér　　　de dìfang.
(3) 你 去过 新疆 吗？那 是 一 个 神秘 而＿＿＿＿的 地方。

Tā de qīzi yǒu yì shuāng néng fāxiàn　　de yǎnjing.
(4) 他 的 妻子 有 一 双 能 发现＿＿＿＿的 眼睛。

xiànshí   xiànxiàng

a. 现实　　b. 现象

Zài Zhōngguó, yí ge yǒuqù de　　shì nǚ háizi bú xià yǔ de shíhou yě dǎ sǎn.
(5) 在 中国，一个 有趣 的＿＿＿＿是 女 孩子 不 下 雨 的 时候 也 打 伞。

Yǒu shíhou,　lǐxiǎng hěn měihǎo, kěshì　　hěn nán shíxiàn.
(6) 有 时候，理想 很 美好，可是＿＿＿＿很 难 实现。

二 语法练习　Grammar Exercises

1. 选词填空并朗读。Choose a phrase to fill in each blank and then read the sentences aloud.

wēnnuǎn ér làngmàn   jǐnzhāng ér jīliè   kuānchang ér gānjìng
a. 温暖 而 浪漫　　　　b. 紧张 而 激烈　　　c. 宽敞 而 干净

niánqīng ér yǒu jīngyàn   qíguài ér shénmì   fāngbiàn ér hǎoyòng
d. 年轻 而 有 经验　　e. 奇怪 而 神秘　　f. 方便 而 好 用

Wǒmen gōngsī lóu xià de nà jiā fànguǎnr
(1) 我们 公司 楼 下 的 那 家 饭馆儿＿＿＿＿。

Shìjiè shang yǒu hěn duō　　de zìrán xiànxiàng.
(2) 世界 上 有 很 多＿＿＿＿的 自然 现象。

Jiù yào jié hūn le,　nǐ yào bǎ fángjiān bùzhì　　　　de
(3) 就 要 结 婚 了，你 要 把 房间 布置 (arrange) 得＿＿＿＿。

Yǔ jiāo dàjiā shǐyòng kuàizi jiā ròu, zhè zhǒng bànfǎ
(4) 禹 教 大家 使用 筷子 夹 肉，这 种 办法＿＿＿＿。

Zhè chǎng Yìdàlì duì hé Xībānyá duì de bǐsài
(5) 这 场 意大利队 和 西班牙队 的 比赛＿＿＿＿。

Wǒmen gōngsī xīn láile yí wèi jīnglǐ.
(6) 我们 公司 新 来了 一 位 经理，＿＿＿＿。

2. 用下列词语和"使"组句，然后朗读。Make sentences using the following words/phrases and "使" and then read the sentences aloud.

tā de líkāi   hěn jīngyà   wǒ gǎndào
(1) 他 的 离开　　很 惊讶　　我 感到

→ ＿＿＿＿＿＿＿＿＿＿＿＿＿＿＿＿＿＿

yùndònghuì   dà yǔ   jǔxíng   tuīchí
(2) 运动会　　大 雨　　举行　　推迟

→ ＿＿＿＿＿＿＿＿＿＿＿＿＿＿＿＿＿＿

hěn bù shūfu   zhème dà de   wǒ gǎndào   wēnchā
(3) 很 不 舒服　　这么 大 的　　我 感到　　温差

→ ＿＿＿＿＿＿＿＿＿＿＿＿＿＿＿＿＿＿

49

(4)
lǎobǎn　　lǎnyángyáng de gōngrén　　fēicháng bù mǎn　　gǎndào
老板　　懒洋洋 的 工人　　非常 不满　　感到

→ _____

(5)
xiéyīn de shǐyòng　　fēngfù ér yǒuqù　　Hànyǔ de biǎodá
谐音 的 使用　　丰富 而 有趣　　汉语 的 表达

→ _____

(6)
tā　　shuō bu chū huà lái　　zhège hǎo xiāoxi　　gāoxìng de
他　　说 不 出 话 来　　这个 好 消息　　高兴 得

→ _____

3. 根据提示词语，用"使"和"而"完成下列句子，然后朗读。Complete the sentences using "使" and "而" based on the hints given and then read the sentences aloud.

Dì-yī cì kāi chē shàng lù,
(1) 第一次 开车 上路，_____使我感到紧张而兴奋 / shǐ wǒ gǎndào jǐnzhāng ér xīngfèn___
jǐnzhāng, xīngfèn
（紧张，兴奋）。

Tā zhèyàng shuō,
(2) 他 这样 说，_____
chéngkěn, qiānxū
（诚恳，谦虚）。

Zuìjìn de rènwu hěn duō,
(3) 最近 的 任务 很 多，_____
jǐnzhāng, mánglù
（紧张，忙碌）。

Zhè jiā cāntīng de fúwù hěn hǎo,
(4) 这 家 餐厅 的 服务 很 好，_____
yúkuài, mǎnyì
（愉快，满意）。

Sūn lǎobǎn de shìyè hěn chénggōng,
(5) 孙 老板 的 事业 很 成功，_____
zìxìn, xìngfú
（自信，幸福）。

Tōngguò tā de jiěshì,
(6) 通过 他 的 解释，_____
jiǎndān, qīngchu
（简单，清楚）。

三 听力练习　Listening Exercises

10-1

1. 听短对话，选择正确答案。Listen to the short dialogues and choose the right answers.

(1)
tā biǎoyǎn de hěn hǎo　　　tā hěn xǐhuan zhège jiémù　　　tā hái yào zài biǎoyǎn yí cì
a. 她 表演 得 很 好　　b. 她 很 喜欢 这个 节目　　c. 她 还要 再 表演 一 次

(2)
tā hěn jǐnzhāng　　　tā hěn lěngjìng　　　tā xīntài hěn hǎo
a. 他 很 紧张　　b. 他 很 冷静　　c. 他 心态 很 好

10-2

2. 听长对话，选择正确答案。Listen to the long dialogues and choose the right answers.

(1)
Xiǎolì yìzhí zhù zài　　　Xiǎolì jiàqī guò de hěn　　　Xiǎolì jiàqī guò de bú
a. 小丽 一直 住 在　　b. 小丽 假期 过 得 很　　c. 小丽 假期 过 得 不
Xībānyá　　　chōngshí　　　tài yǒu yìsi
西班牙　　　充实　　　太 有 意思

(2)
tā qǐng péngyou lái cānjiā　　tā kāishǐ bù zhīdào péngyou　　tā gēn péngyou yìqǐ zhǔnbèi
a. 她 请 朋友 来 参加　　b. 她 开始 不 知道 朋友　　c. 她 跟 朋友 一起 准备
wèi tā zhǔnbèi wǎnhuì
为 她 准备 晚会

四 汉字练习 Exercises on Chinese Characters

1. 用下列汉字组词。Make words using the following characters.

分：＿＿＿＿＿＿、＿＿＿＿＿＿、＿＿＿＿＿＿、＿＿＿＿＿＿

音：＿＿＿＿＿＿、＿＿＿＿＿＿、＿＿＿＿＿＿、＿＿＿＿＿＿

2. 听写句子。Write down the sentences you hear.

10-3

(1) ＿＿＿＿＿＿＿＿＿＿＿＿＿＿＿＿＿＿＿＿＿＿＿＿＿＿＿＿＿

(2) ＿＿＿＿＿＿＿＿＿＿＿＿＿＿＿＿＿＿＿＿＿＿＿＿＿＿＿＿＿

五 交际练习 Communicative Exercise

根据提示词语完成对话。Complete the dialogues based on the hints given.

(1) A：
　　Wǒ gǎnjué nǐ zuìjìn xīnqíng tèbié hǎo.
　　我 感觉 你 最近 心情 特别 好。

　　B：
　　Shì a, wǒ liàn'ài le, gēn nánpéngyou zài yìqǐ
　　是 啊，我 恋爱 了，跟 男朋友 在 一起＿＿＿＿＿＿＿＿＿＿＿＿（使 shǐ）。

　　A：
　　Nǐmen zài yìqǐ dōu zuò xiē shénme?
　　你们 在 一起 都 做 些 什么？

　　B：
　　Wǒmen
　　我们＿＿＿＿＿＿＿＿＿＿＿＿＿＿＿＿＿＿（有 时候……，有 时候……yǒu shíhou……, yǒu shíhou……）。

　　A：
　　Nǐmen de shēnghuó zhēn shì
　　你们 的 生活 真 是＿＿＿＿＿＿＿＿＿＿＿＿（而 ér）。

　　B：
　　Wǒ xiànzài měi tiān dōu
　　我 现在 每 天 都＿＿＿＿＿＿＿＿＿＿＿＿（而 ér）。

(2) A：
　　Nǐ
　　你＿＿＿＿＿＿＿＿＿＿＿＿＿＿＿＿＿＿（在……呢 zài……ne）？

　　B：
　　Wǒ
　　我＿＿＿＿＿＿＿＿＿＿＿＿＿＿（上 网 shàng wǎng）。

　　A：
　　Shuǐguǒ yě néng zài wǎng shang mǎi?
　　水果 也 能 在 网 上 买？

　　B：
　　Shì a, wǎng shang mǎi de shuǐguǒ
　　是 啊，网 上 买 的 水果＿＿＿＿＿＿＿＿＿＿＿＿＿（而 ér）。

　　A：
　　Hùliánwǎng
　　互联网＿＿＿＿＿＿＿＿＿＿＿＿＿（使 shǐ）。

　　B：
　　Shì a, hùliánwǎng
　　是 啊，互联网＿＿＿＿＿＿＿＿＿＿＿＿＿＿＿＿＿＿＿（除了……，还……chúle……, hái……）。

51

我们的生活中每天都会发生很多故事，你是不是一个有故事的人？请你根据下表的提示，选择两件事跟大家分享，注意用上"使"和"而"。（写8—10句话）A lot of stories happen in our everyday life. Are you someone with stories? Choose two of them to share with everybody based on the prompts given in the form below. Remember to use"使"and"而". (Write 8-10 sentences.)

什么事	这件事使我觉得……
	兴奋
	生气
	伤心
	紧张
	得意
	惊讶

Yí cì,
一次，_____

_____

_____

_____。

Zhè jiàn shì shǐ wǒ　　　　　　　　　　Hái yǒu yí cì,
这件事使我_____。还有一次，_____

_____

_____。

Hǎitún   hé   shāyú

海豚和鲨鱼

The dolphins and the shark

一 词汇练习 Vocabulary Exercises

1. 根据图片选择相应的词语。Choose the corresponding word for each picture.

a. 鲨鱼   b. 拍打   c. 游   d. 大海   e. 海豚   f. 岸边

(1) _____   (2) _____   (3) _____   (4) _____   (5) _____   (6) _____

2. 选词填空并朗读。Choose a word to fill in each blank and then read the sentences aloud.

jǐnjǐn	yòng lì	kàojìn	chángshì	shīwàng	kě'ài
a. 紧紧	b. 用力	c. 靠近	d. 尝试	e. 失望	f. 可爱

Nàge   háizi   yòng   de yǎnshén kànzhe wǒ,   wǒ hěn shāngxīn.
(1) 那个 孩子 用 _____的 眼神 看着 我，我 很 伤心。

Wǒmen yīnggāi   zìjǐ jiějué wèntí,   búyào zǒngshì qǐng biéren bāng máng.
(2) 我们 应该_____自己 解决 问题，不要 总是 请 别人 帮 忙。

Nàge xiǎo nǚhái   yuányuán de liǎn,   dàdà de yǎnjing,   fēicháng
(3) 那个 小 女孩儿 圆圆 的 脸，大大 的 眼睛，非常 _____。

Xuéshengmen   zhuāzhù Liú lǎoshī de shǒu,   bú ràng tā líkāi.
(4) 学生们_____抓住 刘 老师 的 手，不 让 他 离开。

Wǒ   ènle jǐ cì ànniǔ,   diàntīmén háishi dǎ bu kāi.
(5) 我_____摁了 几 次 按钮，电梯门 还是 打 不 开。

Qǐng búyào   nàge dìfang,   xiǎoxīn diào xiaqu.
(6) 请 不要_____那个 地方，小心 掉 下去。

3. 连线并朗读。Match and read aloud.

手表

(1) 一个   金子

(2) 一家   孤儿院

(3) 一块   义工

手表店

孤儿

4. 根据图片选择相应的词语。Choose the corresponding word for each picture.

a. 海水　　b. 海豚　　c. 鲨鱼　　d. 岸边　　e. 太阳

二 语法练习　Grammar Exercises

1. 选词填空并朗读。Choose a word to fill in each blank and then read the sentences aloud.

> cháo　　wǎng
> a. 朝　　b. 往

Guò mǎlù de shíhou,　yí liàng chē tūrán　　wǒmen chōng guolai.
(1) 过 马路 的 时候，一 辆 车 突然_____我们 冲 过来。

Zuò zài chē li　　lù liǎng biān kàn, fēngjǐng tài měi le.
(2) 坐 在 车 里_____路 两 边 看，风景 太 美 了。

> wǎng　　lí
> a. 往　　b. 离

Běnjiémíng jiā　　Ālǐ jiā hěn yuǎn.
(3) 本杰明 家_____阿里 家 很 远。

Nǐ　　Běnjiémíng jiā de fāngxiàng kāi,　lù biān yǒu yí ge jiāyóuzhàn.
(4) 你_____本杰明 家 的 方向 开，路 边 有 一 个 加油站。

> lí　　cháo
> a. 离　　b. 朝

Nǐ zhīdào tàiyáng　　wǒmen yǒu duō yuǎn ma?
(5) 你 知道 太阳_____我们 有 多 远 吗？

Xiǎo gǒu kàndào Fāngfāng　　tā zhāo shǒu, mǎshàng pǎole guòqu.
(6) 小 狗 看到 方方_____它 招 手，马上 跑了 过去。

2. 根据提示词语完成句子，然后朗读。Complete the sentences based on the hints given and then read the sentences aloud.

Ānni hěn cōngming, zhǐyào kàn yí biàn shū,　　　　　　　jiù
(1) 安妮 很 聪明，只要 看 一 遍 书，_____（就）。

Zhǐyào nǐ jiānchí yùndòng,   jiù
(2) 只要 你 坚持 运动，_____（就）。

Zhǐyào nǐ cháng duì biéren wēixiào,   jiù
(3) 只要 你 常 对 别人 微笑，_____（就）。

                              zhǐyào   wǒ jiù yídìng gěi nǐ mǎi.
(4) _____（只要），我 就 一定 给 你 买。

                              zhǐyào   tā jiù yídìng huì bāng nǐ.
(5) _____（只要），他 就 一定 会 帮 你。

                              zhǐyào   jǐngchá jiù kěyǐ mǎshàng cháchū nà liàng chē shì shéi de.
(6) _____（只要），警察 就 可以 马上 查出 那 辆 车 是 谁 的。

3. 把括号里的词语填到句中合适的位置，然后朗读。Choose the right positions for the words in brackets and then read the sentences aloud.

Dàjiā   qù wǎng shang   chácha,   jiù zhīdào zhège háizi duō yǒumíng le.   zhǐyào
(1) 大家__a__去 网 上 __b__查查，__c__就 知道 这个 孩子 多 有 名 了。（只要）

          nàge diànyǐng,   nǐ kànguo yí biàn   jiù huì hái xiǎng zài kàn dì-èr biàn.   zhǐyào
(2) __a__那个 电影，__b__你 看过 一 遍 __c__，就 会 还 想 再 看 第二 遍。（只要）

Zhǐyào yǒu wèntí,   nǐ   kěyǐ   lái wǒ bàngōngshì zhǎo wǒ.   jiù
(3) 只要 有 问题，__a__你 __b__可以 __c__来 我 办公室 找 我。（就）

Zhǐyào zhège shíyàn chénggōng le,   wǒmen   kěyǐ   tígāo liángshi chǎnliàng.   jiù
(4) 只要 这个 实验 成功 了，__a__我们 __b__可以 __c__提高 粮食 产量。（就）

          nàge nánrén   zìjǐ   gēbo yòng lì de dǎle sān xià.   cháo
(5) __a__那个 男人 __b__自己 __c__胳膊 用 力 地 打了 三 下。（朝）

Nǐ   yìzhí   qián zǒu, zǒu dào   dì-sān ge hóng-lǜdēng jiù néng kànjiàn wǒ jiā le.   cháo
(6) 你__a__一直 __b__前 走，走 到 __c__第三 个 红绿灯 就 能 看见 我 家 了。（朝）

三 听力练习 Listening Exercises

11-1
1. 听长对话，选择正确答案。Listen to the long dialogues and choose the right answers.

        Wáng jīnglǐ   Zhōu jīnglǐ   Xiǎo Zhāng
(1) a. 王 经理   b. 周 经理   c. 小 张

        bú dào suì   suì yǐshàng   bú dào suì
(2) a. 不到 8 岁   b. 16 岁 以上   c. 不到 6 岁

11-2
2. 听下面一段话，回答问题。Listen to the passage and answer the questions.

Rúguǒ xūyào fúwùyuán de bāngzhù, yīnggāi zěnme zuò?
(1) 如果 需要 服务员 的 帮助，应该 怎么 做？

Rúguǒ xiǎng tīng yīnyuè, yīnggāi zěnme zuò?
(2) 如果 想 听 音乐，应该 怎么 做？

四 汉字练习 Exercises on Chinese Characters

1. 根据拼音写出正确的汉字，然后朗读。Write down the right characters based on the *pinyin* and then read the sentences aloud.

                    （jiāojí）   （zháojí）
(1) 全家人都_____地等着医生从手术室里出来，非常_____。

                                    (pà)   (pāi)
(2) 小海豚感到很害_____，用力地_____打着水面。

2. 听写句子。Write down the sentences you hear.

11-3

(1) _____

(2) _____

五 交际练习 Communicative Exercise

根据提示词语完成对话。Complete the dialogues based on the hints given.

                Wǒ dǎsuàn qù lǚyóu,   nǐ shuō qù nǎr bǐjiào hǎo?
(1) A：我 打算 去 旅游，你 说 去 哪儿 比较 好？

    B：_____。

        Wèi shénme qù   nàr?   Nàge dìfang zěnmeyàng?
    A：为 什么 去 那儿？那个 地方 怎么样？

                                                    zhǐyào…… jiù……
    B：_____。（只要……就……）

        Nǐ qùguo ma?
    A：你 去过 吗？

        Wǒ
    B：我_____。

        Qǐngwèn, zuìjìn de Zhōngguó fànguǎnr
(2) A：请问，最近 的 中国 饭馆儿_____？

        Duìbuqǐ,   zhèr fùjìn   Nín děi zuò dìtiě.
    B：对不起，这儿 附近_____。您 得 坐 地铁。

        Zuìjìn de chēzhàn
    A：最近 的 车站_____？

                                          cháo
    B：_____。（朝）

        Yào zuò jǐ zhàn?
    A：要 坐 几 站？

                                    xià chē hòu   cháo   jiù
    B：_____，下 车 后_____（朝），就

        néng kànjiàn yì jiā Zhōngguó fànguǎnr.
        能 看见 一家 中国 饭馆儿。

56

1. 把下列选项按照合适的顺序排列起来，然后朗读。Put the following items in order and then read the paragraph aloud.

Diàn li de guǎnggào shang xiězhe: zhǐyào mǎi shí hé làzhú, jiù sòng xiǎo lǐwù.
a. 店里的 广告 上 写着：只要买十盒蜡烛，就 送 小 礼物。

Yì tiān, Fāngfāng guàng shāngdiàn de shíhou, fāxiàn làzhú zhèngzài dǎ zhé.
b. 一天，方方 逛 商店 的时候，发现蜡烛正在打折。

Fāngfāng wèn: "Lǎobǎn, wǒ de lǐwù ne?"
c. 方方 问："老板，我 的 礼物 呢？"

Lǎobǎn shuō: "Bú shì duō gěile nǐ yì gēn làzhú ma? Nà jiù shì lǐwù."
d. 老板 说："不是 多给了 你 一根 蜡烛 吗？那就是礼物。"

Shuāwán kǎ, làzhúdiàn lǎobǎn duō gěile Fāngfāng yì gēn làzhú.
e. 刷完 卡，蜡烛店 老板 多 给了 方方 一根 蜡烛。

Wèile nádào xiǎo lǐwù, Fāngfāng mǎile shí hé làzhú.
f. 为了 拿到 小 礼物，方方 买了 十盒 蜡烛。

_____

2. 看图，根据提示词语写一段话，注意用上"朝"和"只要 X，就 Y"。（写 8—10 句话）
   Look at the pictures and write a paragraph based on the hints given. Remember to use "朝" and "只要 X，就 Y". (Write 8-10 sentences.)

打算　　　　　　下楼梯 冲　　　　应该 朝 方向

Yì tiān, Běnjiémíng
一天，本杰明 _____

_____

_____

_____ 。

Shénme yě méi zuò

什么也没做

I did nothing

一 词汇练习 Vocabulary Exercises

1. 选词填空并朗读。Choose a word to fill in each blank and then read the sentences aloud.

jīngxǐ   jīngqí
a. 惊喜   b. 惊奇

Kàndào fángjiān li fēicháng luàn, tā　　　de wèn: "Jīntiān jiāli lái xiǎotōu le ma?"
(1) 看到 房间 里 非常 乱，他_____地 问："今天 家里 来 小偷 了 吗？"

Míngtiān shì Ānni de shēngrì, wǒ xiǎng gěi tā yí ge
(2) 明天 是 安妮 的 生日，我 想 给 她 一个_____。

zhǎo   fān
a. 找   b. 翻

Wǒ wàngle xiàngcè fàng nǎr le, nǐ bāng wǒ　　　yíxià.
(3) 我 忘了 相册 放 哪儿 了，你 帮 我_____一下。

Qǐng dàjiā bǎ shū dǎkāi,　　　dào dì kè de kèwén.
(4) 请 大家 把 书 打开，_____到 第12 课 的 课文。

zháojí   jímáng
a. 着急   b. 急忙

Yǐjīng wǎnshang diǎn le, Ānni hái méi huílai, māma hěn
(5) 已经 晚上 12 点 了，安妮 还 没 回来，妈妈 很_____。

Jiějie tūrán fāxiàn shíjiān yǐjīng hěn wǎn le, suǒyǐ　　　wǎng jiā pǎo.
(6) 姐姐 突然 发现 时间 已经 很 晚 了，所以_____往 家 跑。

2. 选词填空并朗读。Choose a word to fill in each blank and then read the sentences aloud.

shízài   hǎojǐ   jímáng   búduàn   shíjì shang   jiūjìng
a. 实在   b. 好几   c. 急忙   d. 不断   e. 实际上   f. 究竟

Dìdi chángshìle cì, dōu shībài le.
(1) 弟弟 尝试了_____次，都 失败 了。

Nǎinai bù xǐhuan nàli de dōngtiān, tài lěng le.
(2) 奶奶 不 喜欢 那里 的 冬天，_____太 冷 了。

Xiǎomíng, jiāli fāshēngle shénme shì?
(3) 小明，家里_____发生了 什么 事？

Hǎitún jǐnjǐn de wéizhe tāmen, shì zài bǎohù tāmen.
(4) 海豚 紧紧 地 围着 他们，_____是 在 保护 他们。

Chē yǐjīng kāiyuǎn le, dàjiā hái zài de zhāo shǒu.
(5) 车 已经 开远 了，大家 还 在_____地 招 手。

Zhàngfu fāxiàn shǒujī là zài shāngdiàn yǐhòu, huíqu zhǎo.
(6) 丈夫 发现 手机 落在 商店 以后，_____回去 找。

3. 根据图片选择相应的词语。Choose the corresponding word for each picture.

a. 脸   b. 地毯   c. 堆满   d. 床   e. 相册   f. 背包

(1) _____   (2) _____   (3) _____   (4) _____   (5) _____   (6) _____

4. 选词填空并朗读。Choose a word to fill in each blank and then read the sentences aloud.

> dī   liǎnshang   jīhuì   chījīng   biànhuà   suízhe
> a. 滴   b. 脸上   c. 机会   d. 吃惊   e. 变化   f. 随着

Hǎitún bù gěi shāyú kàojìn bàba hé nǚ'ér de
(1) 海豚 不 给 鲨鱼 靠近 爸爸 和 女儿 的 _____。

Xiǎolì de shēngrì wǎnhuì shang, dàjiā wánr de hěn kāixīn, tā de dōu shì dàngāo.
(2) 小丽 的 生日 晚会 上，大家 玩儿 得 很 开心，她 的 _____ 都 是 蛋糕。

Méi xiǎngdào, fēnshǒu de shíhou, tā yì yǎnlèi dōu méiyǒu diào.
(3) 没 想到，分手 的 时候，她 一 _____ 眼泪 都 没有 掉。

Jǐ nián bú jiàn, Mǎ yīshēng bú dà, háishi zhème niánqīng piàoliang.
(4) 几 年 不 见，马 医生 _____ 不大，还是 这么 年轻 漂亮。

Hànyǔ shuǐpíng de tígāo, Dàwèi xiànzài néng kàndǒng Zhōngwén diànyǐng le.
(5) _____ 汉语 水平 的 提高，大卫 现在 能 看懂 中文 电影 了。

Dāng māma fāxiàn érzi yìzhí zài gū'éryuàn zuò yìgōng de shíhou, tā yòu yòu gāoxìng.
(6) 当 妈妈 发现 儿子 一直 在 孤儿院 做 义工 的 时候，她 又 _____ 又 高兴。

语法练习 Grammar Exercises

1. 根据提示词语，用"连……都/也……"完成句子，然后朗读。Complete the sentences using "连……都/也……" based on the hints given and then read the sentences aloud.

Tā bù xǐhuan zhào xiàng,
(1) 他 不 喜欢 照 相，_____（相册）。

Wǒ xiànzài xiǎng hē shuǐ, kěshì bēizi li
(2) 我 现在 想 喝 水，可是 杯子 里 _____（一 滴 水）。

Nǐ qǐng wǒmen chī de zhè dùn fàn tài jiǎndān le,
(3) 你 请 我们 吃 的 这 顿 饭 太 简单 了，_____（鸡 和 鱼）。

Tā méiyǒu liàn'àiguo,
(4) 她 没有 恋爱过，_____（男朋友）。

Tā zài wàidì shēnghuóle èrshí nián,
(5) 他 在 外地 生活了 二十 年，_____（家乡 的 样子）。

Zhè jiàn shì tā shéi dōu méi gàosu,
(6) 这 件 事 他 谁 都 没 告诉，_____（最好 的 朋友）。

2. 把"总是"填到句中合适的位置，然后朗读。Choose the right positions for "总是" and then read the sentences aloud.

Tā zhàn zài ménkǒu, jiāojí de cháo wàibian wàngzhe, hái kàn shǒubiǎo.
(1) 他 __a__ 站 在 门口，焦急 地 __b__ 朝 外边 望着，还 __c__ 看 手表。

zài gōnggòng qìchē shang, Ālǐ bǎ bēibāo fàng zài jiǎo pángbiān.
(2) __a__ 在 公共 汽车 上，阿里 __b__ 把背包 __c__ 放在 脚 旁边。

zhè liǎng ge guójiā zhī jiān de guānxi zài búduàn de biànhuàzhe
(3) __a__ 这两个国家之间的关系 __b__ 在不断地 __c__ 变化着。

Tā cónglái bú wèi tā rén kǎolù, bǎ dàjiā nòng de hěn gāngà.
(4) 她从来不为他人 __a__ 考虑，__b__ 把大家 __c__ 弄 得 很 尴尬。

Tā duì gǔlǎo ér xiàndài de chéngshì gǎn xìngqù
(5) 他 __a__ 对古老而现代的 城市 __b__ 感兴趣 __c__ 。

Tā bù xǐhuan zuò diàntī, měi tiān pá lóutī shàng lóu.
(6) 他 __a__ 不喜欢坐电梯，每天 __b__ 爬楼梯 __c__ 上 楼。

3. 用 "总是" 和 "连……都/也……" 改写下列句子，然后朗读。Rewrite the following sentences using "总是" and "连……都/也……" and then read the new sentences aloud.

Tā jiā de dìshang duīmǎnle dōngxi, gānjìng de yīfu yě fàng zài dìshang.
(1) 她家的地上堆满了东西，干净的衣服也 放在 地上。

→ _____

Běnjiémíng bù dǒng làngmàn, méi sòngguo nǚpéngyou huār.
(2) 本杰明 不懂 浪漫，没 送过 女朋友 花儿。

→ _____

Ānni shuō zìjǐ liǎojiě Zhōngguó, kěshì bù zhīdào Gù Gōng.
(3) 安妮 说 自己了解 中国，可是不知道 故宫。

→ _____

Zhèli de xiàtiān hěn liángkuai, měi ge rén de jiāli dōu méiyǒu kōngtiáo.
(4) 这里的夏天很 凉快，每个人的家里都没有 空调。

→ _____

Nàge nǚshēng hěn hàixiū, zài dàjiā miànqián bù gǎn shuō huà.
(5) 那个 女生 很害羞，在大家 面前 不敢 说话。

→ _____

Lín Mù hěn máng, méiyǒu shíjiān gēn wǒmen chī fàn.
(6) 林木 很 忙，没有时间跟我们吃饭。

→ _____

三 听力练习 Listening Exercises

1. 听长对话，选择正确答案。Listen to the long dialogues and choose the right answers.

12-1
xǐ liǎn   shuì jiào   tī qiú
(1) a. 洗脸   b. 睡 觉   c. 踢球

qù bówùguǎn   kàn hǎitún biǎoyǎn   biǎoyǎn
(2) a. 去 博物馆   b. 看 海豚 表演   c. 表演

2. 听下面一段话，回答问题。Listen to the passage and answer the questions.

12-2
Ānni hé Xiǎoyáng liàn'ài de shíhou zǒngshì yìqǐ zuò shénme?
(1) 安妮 和 小阳 恋爱的 时候总是 一起 做 什么？

Hòulái   Ānni   wèi shénme guānshàngle shǒujī?
(2) 后来安妮为什么 关上了 手机?

四 汉字练习 Exercises on Chinese Characters

1. 用下列汉字组词。 Make words using the following characters.

实：_____、_____、_____、_____

海：_____、_____、_____、_____

2. 听写句子。 Write down the sentences you hear.

12-3

(1) _____

(2) _____

五 交际练习 Communicative Exercise

根据提示词语完成对话。 Complete the dialogues based on the hints given.

Zhè jǐ tiān zǒngshì   kàn bu jiàn   nǐ zài máng shénme ne?
(1) A：这几天总是_____（看不见），你在 忙 什么呢?

Zhè liǎng tiān wǒ mángzhe
B：这 两 天我 忙着_____。

Zěnme le?   Nǐ xiǎng huàn gōngzuò?
A：怎么了? 你想 换 工作?

Bú shì,   wǒmen gōngsī   jīngyíng   yǎnkàn jiù   dǎobì
B：不是，我们 公司_____（经营），眼看就_____（倒闭）。

Zhēn dǎoméi. Nà nǐ miànshì zěnmeyàng? Yǒu   xiāoxi
A：真 倒霉。那你 面试 怎么样? 有_____（消息）?

Xiànzài jīngjì dōu bú tài hǎo, hěn duō gōngsī jīnnián   lián…… dōu /
B：现在 经济 都不太好，很多 公司 今年_____（连……都/

yě……
也……）。

Zhè jǐ tiān bù zhīdào zěnme le, wǎnshang   zǒngshì
(2) A：这几天不知道怎么了，晚上_____（总是）。

Shuì jiào yǐqián   niúnǎi   néng ràng nǐ
B：睡 觉以前_____（牛奶），能 让你_____。

Wǒ bù néng hē niúnǎi, hē yìdiǎnr jiù bù shūfu.
A：我不能 喝牛奶，喝一点儿就不舒服。

Nà nǐ shìshi kàn xiǎoshuō ba,   kùn
B：那你试试看 小说 吧，_____（困）。

Wǒ bù xǐhuan kàn xiǎoshuō,   lián…… dōu / yě……
A：我不喜欢看 小说，_____（连……都/也……）。

Nà nǐ qù pǎo bù ba,   yī…… jiù……
B：那你去 跑步吧，_____（一……就……）。

61

根据自己的实际情况完成下表，并写一段话，注意用上"总是"和"连……都 / 也……"。（写 8—10 句话）Write a paragraph based on your own situations. Remember to use "总是" and "连…… 都 / 也……". (Write 8-10 sentences.)

安妮特别喜欢做的事	我特别喜欢做的事
特别喜欢吃肉，早饭也要有肉	
特别爱上网，坐车的时候也用手机上网	
特别喜欢学习汉字，旅行的时候也带着字典	

Ānnī yǒu hěn duō tèbié xǐhuan zuò de shì. Bǐrú
安妮有很多特别喜欢做的事。比如_____

_____

Wǒ yě yǒu hěn duō
_____。我也有很多

tèbié xǐhuan zuò de shì. Bǐrú
特别喜欢做的事。比如_____

_____

_____。

Lǎoniánrén de xiūxián shēnghuó
老年人的休闲生活
Senior citizens' leisure life

一 词汇练习 Vocabulary Exercises

1. 根据图片选择相应的词语。 Choose the corresponding word for each picture.

a. 象棋　　　b. 绘画　　　c. 郊游　　　d. 广场舞　　　e. 摄影　　　f. 麻将

(1) _____　　(2) _____　　(3) _____　　(4) _____　　(5) _____　　(6) _____

2. 连线并朗读。 Match and read aloud.

(1) 照顾　　　　　　　　书法

(2) 参加　　　　　　　　戏曲

(3) 享受　　　　　　　　天伦之乐

(4) 练　　　　　　　　　活动

(5) 跳　　　　　　　　　广场舞

(6) 看　　　　　　　　　老年人

3. 选词填空并朗读。 Choose a word to fill in each blank and then read the sentences aloud.

> qījiān　　　　tóngyì　　　　jìhuà　　　　wàixiàng　　　　bài nián　　　　cáifù
> a. 期间　　　b. 同意　　　c. 计划　　　d. 外向　　　e. 拜年　　　f. 财富

Lǎo Liú de nǚ'ér ài shuō ài xiào, shì yí ge xìnggé de nǚháir.
(1) 老刘的女儿爱说爱笑，是一个性格_____的女孩儿。

Àoyùnhuì bǐsài yùndòngyuánmen dōu zhù zài nàge bīnguǎn li.
(2) 奥运会比赛_____，运动员们都住在那个宾馆里。

Chūnjié nà tiān zǎoshang, háizimen yào gěi fùmǔ
(3) 春节那天早上，孩子们要给父母_____。

Rúguǒ nǐ bù wǒ de yìjiàn, kěyǐ shuō chulai.
(4) 如果你不_____我的意见，可以说出来。

Dàjiā dōu juéde chénggōng shì zuì zhòngyào de, dàn wǒ rènwéi shībài shì shēnghuó zhōng zuì dà de.
(5) 大家都觉得成功是最重要的，但我认为失败是生活中最大的_____。

Jīntiān de gōngzuò yòu méi wánchéng, míngtiān hái yào jìxù gōngzuò.
(6) 今天的工作_____又没完成，明天还要继续工作。

4. 写出反义词。Write the antonyms.

(1) 内向——_____   (2) 同意——_____   (3) 接受——_____

(4) 开始——_____   (5) 担心——_____   (6) 忙碌——_____

二 语法练习　Grammar Exercises

1. 用下列词语和"有的……有的……"组句，然后朗读。Make sentences using the following words/phrases with "有的……有的……" and then read the sentences aloud.

(1)
dǎ zhé　　　shāngdiàn li de　　dǎ zhé　　dōngxi
打 5 折　　　商店 里 的　　　打 3 折　　东西

→ _____

(2)
kàn shū　　fēijī shang　　shuì jiào　　tīng yīnyuè　　rénmen
看书　　　飞机 上　　　睡 觉　　　听 音乐　　　人们

→ _____

(3)
dàjiā　　zǒu lóutī　　zuò diàntī　　xiǎng　　xiǎng
大家　　走 楼梯　　坐 电梯　　　想　　　想

→ _____

(4)
bì yè hòu　　xiǎng dāng lǎoshī　　xiǎng dāng lǜshī　　tóngxuémen　　xiǎng dāng yīshēng
毕 业 后　　想 当 老师　　　想 当 律师　　　同学们　　　想 当 医生

→ _____

(5)
bèi gǎibiān chéng　　bèi fānyì chéng　　tā xiě de xiǎoshuō　　wàiyǔ　　diànshìjù
被 改编 成　　　被 翻译 成　　　他 写 的 小说　　外语　　电视剧

→ _____

(6)
kàndào bǐsài jiéguǒ　　shīwàng　　gāoxìng　　dàjiā　　jīngyà
看到 比赛 结果　　　失望　　高兴　　大家　　惊讶

→ _____

2. 用"一边……一边……"改写下列句子，然后朗读。Rewrite the following sentences using "一边……一边……" and then read the new sentences aloud.

(1)
Liú Xiǎoshuāng tīng jiǎngzuò de shíhou jì wèntí.
刘 小双 听 讲座 的 时候 记 问题。

→ _____

(2)
Āyuè zài Zhōngguó xué Hànyǔ, tóngshí zài yì jiā gōngsī zuò fānyì.
阿月 在 中国 学 汉语，同时 在 一家 公司 做 翻译。

→ _____

(3)
Lǎoshī jiěshì zhège cí, bìng bǎ tā xiě zài hēibǎn shang.
老师 解释 这个 词，并 把 它 写 在 黑板 上。

→ _____

64

Tāmen zài hǎi biān shài tàiyang, tāmen zài hǎi biān liáo tiānr.
(4) 他们 在 海 边 晒 太阳，他们 在 海 边 聊 天儿。

　　　→ _____

Wáng jiàoshòu xiě wénzhāng de shíhou cháng chá zīliào.
(5) 王 教授 写 文章 的 时候 常 查 资料。

　　　→ _____

Nà jǐ ge háizi pǎozhe、 dà shēng hǎnzhe.
(6) 那 几 个 孩子 跑着、大 声 喊着。

　　　→ _____

3. 把括号里的词语填到句中合适的位置，然后朗读。Choose the right positions for the words in brackets and then read the sentences aloud.

lái cānjiā jùhuì de péngyou　　xǐhuan chī zhōngcān,　　xǐhuan chī xīcān.　　yǒu de
(1) ___a___ 来 参加 聚会 的 朋友 ___b___ 喜欢 吃 中餐，___c___ 喜欢 吃 西餐。（有的）

Gè guó de jié hūn xísú　　hěn bù yíyàng,　　chuān hóngsè yīfu,　　chuān báisè yīfu.
(2) 各 国 的 结婚 习俗 ___a___ 很 不 一样，___b___ 穿 红色 衣服，___c___ 穿 白色 衣服。

yǒu de
（有 的）

Péngyoumen gàosu wǒ yìxiē jiǎn féi fāngfǎ,　　jiànyì wǒ yùndòng,　　jiànyì wǒ duō chī shuǐguǒ,
(3) 朋友们 告诉 我 一些 减肥 方法，___a___ 建议 我 运动，___b___ 建议 我 多 吃 水果，

dōu búcuò. yǒu de
___c___ 都 不错。（有 的）

Xiǎomíng　　tīng Wáng jiàoshòu de jiǎngzuò,　　jì zìjǐ de xiǎngfǎ. yìbiān
(4) ___a___ 小明 ___b___ 听 王 教授 的 讲座，___c___ 记 自己 的 想法。（一边）

Lǎo péngyou jiàn miàn,　　dàjiā　　hùxiāng wènhòu,　　hùxiāng liǎojiě qíngkuàng. yìbiān
(5) 老 朋友 见 面，___a___ 大家 ___b___ 互相 问候，___c___ 互相 了解 情况。（一边）

Zài jiāyóuzhàn, bù néng　　jiā yóu,　　dǎ diànhuà,　　bù ānquán. yìbiān
(6) 在 加油站，不 能 ___a___ 加油，___b___ 打 电话，___c___ 不 安全。（一边）

三　听力练习　Listening Exercises

1. 听长对话，选择正确答案。Listen to the long dialogues and choose the right answers.

13-1
dàjiā bù tóngyì zhège jìhuà　　dàjiā dānxīn wán bu chéng rènwu　　dàjiā de yìjiàn bù yíyàng
(1) a. 大家 不 同意 这个 计划　b. 大家 担心 完 不 成 任务　c. 大家 的 意见 不 一样

tāmen yǎn de shíjiān tài cháng　　tāmen shì jìsuànjī zhuānyè de　　tāmen yǎn huàjù shí hái yào
(2) a. 他们 演 的 时间 太 长　b. 他们 是 计算机 专业 的　c. 他们 演 话剧 时 还 要

xué zhuānyè
学 专业

2. 听下面一段话，回答问题。Listen to the passage and answer the questions.

13-2
Yìgōng zài lǎorényuàn zuò shénme?
(1) 义工 在 老人院 做 什么？

Lǎoniánrén juéde zhèxiē yìgōng zěnmeyàng?
(2) 老年人 觉得 这些 义工 怎么样？

汉字练习 Exercises on Chinese Characters

1. 辨认汉字，选择正确的汉字填空，然后朗读。Distinguish the characters, choose the right character to fill in each blank, and then read the sentences aloud.

(1)
Fángjiān li zuòzhe sì ge rén, sān ge rén zuò zài yǐzi shang, yí ge rén zuò zài　　　shang, tāmen zài
房间 里 坐着 四 个 人，三 个 人 坐 在 椅子 上，一 个 人 坐 在＿＿＿＿ 上，他们 在
dǎ　　　jiàng ne.
打＿＿＿＿ 将 呢。（a. 床　b. 麻）

(2)
Xià yí ge jiémù shì　　　Yīngguó xuésheng wèi wǒmen biǎoyǎn de Zhōngguó chuántǒng xì
下 一 个 节目 是＿＿＿＿ 英国 学生 为 我们 表演 的 中国 传统 戏＿＿＿＿。

（a. 曲　b. 由）

2. 听写句子。Write down the sentences you hear.

13-3

(1) ＿＿＿＿＿＿＿＿＿＿＿＿＿＿＿＿＿＿＿＿＿＿＿＿＿＿＿＿＿＿＿＿＿＿＿＿

(2) ＿＿＿＿＿＿＿＿＿＿＿＿＿＿＿＿＿＿＿＿＿＿＿＿＿＿＿＿＿＿＿＿＿＿＿＿

五 交际练习 Communicative Exercise

根据提示词语完成对话。Complete the dialogues based on the hints given.

(1) A：
Nǐmen guójiā de niánqīngrén yǒu shénme tǐyù àihào?
你们 国家 的 年轻人 有 什么 体育 爱好？

B：
Tāmen
他们＿＿＿＿＿＿＿＿＿＿＿＿＿＿＿＿（有 的……有 的……）。
yǒu de…… yǒu de……

A：
Nǐ xǐhuan shénme yùndòng?
你 喜欢 什么 运动？

B：
Wǒ zuì xǐhuan　　　　　　　　　　Nǐmen guójiā de niánqīngrén ne?
我 最 喜欢＿＿＿＿＿＿＿＿＿＿。你们 国家 的 年轻人 呢？

A：
Wǒmen guójiā de niánqīngrén　　　　　　　　　yǒu de…… yǒu de……
我们 国家 的 年轻人 ＿＿＿＿＿＿＿＿＿＿＿＿＿（有 的……有 的……）。

B：
Wǒmen guójiā de niánqīngrén hé nǐmen guójiā de niánqīngrén tǐyù àihào
我们 国家 的 年轻人 和 你们 国家 的 年轻人 体育 爱好 ＿＿＿＿＿＿＿＿＿。

(2) A：
Zánmen yìqǐ qù　　　　　　　　ba.
咱们 一起 去＿＿＿＿＿＿＿＿＿吧。

B：
Pǎo bù duō lèi a!
跑步 多 累 啊！

A：
Tǐyùguǎn li yǒu　　　　　　　　　kěyǐ
体育馆 里 有＿＿＿＿＿＿＿＿＿＿，可以＿＿＿＿＿＿＿＿＿＿
yìbiān…… yìbiān……
（一边……一边……）。

B：
Nàxiē diànshì jiémù wǒ dōu bù xǐhuan.
那些 电视 节目 我 都 不 喜欢。

A：
Rúguǒ nǐ bù xǐhuan　　　　　　　hái kěyǐ tīng yīnyuè,
如果 你 不 喜欢＿＿＿＿＿＿＿，还 可以 听 音乐，＿＿＿＿＿＿＿＿＿＿
yìbiān…… yìbiān……
（一边……一边……）。

B：
＿＿＿＿＿＿＿＿＿＿（一边……一边……），这 真 不错！我 跟 你 一起 去。
yìbiān…… yìbiān…… zhè zhēn búcuò! Wǒ gēn nǐ yìqǐ qù.

1. 把下列选项按照合适的顺序排列起来，然后朗读。Put the following items in order and then read the paragraph aloud.

Yuánlái shì yìxiē lǎoniánrén zài kàn xià xiàngqí. Ālǐ juéde hěn yǒu yìsi.
a. 原来 是 一些 老年人 在 看 下 象棋。阿里 觉得 很 有 意思。

Tāmen yǒu de zài děng gōnggòng qìchē, yǒu de yìbiān zǒu lù yìbiān chī zǎofàn.
b. 他们 有 的 在 等 公共 汽车，有 的 一边 走 路 一边 吃 早饭。

Tā bú huì xià Zhōngguó xiàngqí, xiǎng gēn tāmen xuéxue.
c. 他 不 会 下 中国 象棋，想 跟 他们 学学。

Tā fāxiàn, Běijīng rén zǎoshang dōu hěn máng.
d. 他 发现，北京 人 早上 都 很 忙。

Tūrán, Ālǐ fāxiàn lù biān yǒu hěn duō rén wéi zài yìqǐ, yúshì qíle guòqu.
e. 突然，阿里 发现 路 边 有 很 多 人 围 在 一起，于是 骑了 过去。

Wèile liǎojiě Běijīng rén de shēnghuó, Ālǐ yí dà zǎo jiù qízhe chē shàng jiē le.
f. 为了 了解 北京 人 的 生活，阿里 一 大 早 就 骑着 车 上 街 了。

_____

2. 根据提示词语完成下面一段话。Complete the following paragraph based on the hints given.

Guānzhòng péngyoumen, dàjiā hǎo, xiànzài wǒ wèi nín jièshào _____。Zài zhè suǒ lǎonián
观众 朋友们，大家 好，现在 我 为 您 介绍_____。在 这 所 老年

dàxué li, lǎoniánrén _____(fēngfù-duōcǎi) tāmen _____(yǒu
大学 里，老年人_____(丰富多彩)，他们_____(有

de…… yǒu de…… Zuì shòu huānyíng de kè shì _____, yīnwèi _____
的……有的……)。最 受 欢迎 的 课 是_____，因为_____

Lǎorénmen měi tiān cóng _____ dào _____ shàng kè, xià
_____。老人们 每 天 从_____到_____上 课，下

kè yǐhòu dàjiā _____(yìbiān…… yìbiān……)。Rúguǒ nín yě xiǎng xiàng
课 以后 大家_____(一边……一边……)。如果 您 也 想 像

tāmen yíyàng, _____(huānyíng)。
他们 一样，_____(欢迎)。

Lesson
14

QĪng-Zàng tiělù

青藏铁路
Qinghai-Tibet Railway

一 词汇练习 Vocabulary Exercises

1. 选词填空并朗读。 Choose a word to fill in each blank and then read the sentences aloud.

> hé   yǔ
> a. 和   b. 与

Jīntiān wǒ yào   háizi yìqǐ qù hǎiyángguǎn cānguān.
(1) 今天 我 要＿＿＿＿孩子 一起 去 海洋馆 参观。

Wǒmen yào jiāqiáng   qítā dàxué de jiāoliú.
(2) 我们 要 加强＿＿＿＿其他 大学 的 交流。

> xìngfú   xìngyùn
> a. 幸福   b. 幸运

jiù shì yì jiā rén zài yìqǐ xiǎngshòu tiānlúnzhīlè.
(3) ＿＿＿＿就 是 一 家 人 在 一起 享受 天伦之乐。

Zhēn   zhè cì lǚxíng dōu shì qíngtiān.
(4) 真＿＿＿＿，这 次 旅行 都 是 晴天。

> qítā   bié de
> a. 其他   b. 别的

Chúle píngguǒ yǐwài,   nǐ hái mǎi   ma?
(5) 除了 苹果 以外，你 还 买＿＿＿＿吗？

Nǐ guòlai kànkan, zhè zhāng héyǐng li de   liǎng ge rén shì shéi?
(6) 你 过来 看看，这 张 合影 里 的＿＿＿＿两 个 人 是 谁？

2. 选词填空并朗读。 Choose a word to fill in each blank and then read the sentences aloud.

> hǎibá   yàoshi   cùjìn   yánxiàn   zhēnxī   shěng
> a. 海拔   b. 要是   c. 促进   d. 沿线   e. 珍稀   f. 省

Zhèngfǔ zhèngzài xiǎng bànfǎ   jīngjì de fāzhǎn.
(1) 政府 正在 想 办法＿＿＿＿经济 的 发展。

Shìjiè dì-yī gāofēng Zhūmùlǎngmǎ Fēng   mǐ.
(2) 世界 第一 高峰 珠穆朗玛 峰＿＿＿＿8844.43 米。

Wǒ xǐhuan zuò huǒchē, zuò huǒchē kěyǐ kàn tiělù   de fēngjǐng.
(3) 我 喜欢 坐 火车，坐 火车 可以 看 铁路＿＿＿＿的 风景。

Ānni, nǐ zài Zhōngguó jiànguo   de dàxióngmāo ma?
(4) 安妮，你 在 中国 见过＿＿＿＿的 大熊猫 吗？

Zhōngguó yǒu   ge   nǐ zhīdào dōu shì nǎxiē ma?
(5) 中国 有 23 个＿＿＿＿，你 知道 都 是 哪些 吗？

kǎoshangle yánjiūshēng, wǒ jiù bú qù wàiqǐ gōngzuò le.
(6) ＿＿＿＿考上了 研究生，我 就 不 去 外企 工作 了。

68

3. 连线并朗读。Match and read aloud.

(1) 怕　　　　　　　　　　　百分之十

(2) 后悔　　　　　　　　　　国内

(3) 提醒　　　　　　　　　　很长时间

(4) 刮　　　　　　　　　　　考试的时间

(5) 倒退　　　　　　　　　　失败

(6) 住　　　　　　　　　　　台风

4. 根据图片选择相应的词语。Choose the corresponding word for each picture.

a. 铁路　　　b. 淡水湖　　　c. 藏羚羊　　　d. 收银台　　　e. 船　　　f. 南极

(1) _____　(2) _____　(3) _____　(4) _____　(5) _____　(6) _____

二 语法练习　Grammar Exercises

1. 根据提示词语，用"要是……的话"完成句子，然后朗读。Complete the sentences using "要是……的话" based on the hints given and then read the sentences aloud.

(1) _____
hǎitún bǎohù　　shāyú kěnéng huì nòngshāng bàba hé nǚ'ér.
（海豚 保护），鲨鱼 可能 会 弄伤 爸爸 和 女儿。

(2) _____
Lǐ jiàoshòu zuò jiǎngzuò　　wǒ yídìng yào qù tīngting.
（李 教授 做 讲座），我 一定 要 去 听听。

(3) _____
cānjiā wǎnhuì　　jiù dǎ ge diànhuà gàosu wǒ.
（参加 晚会），就 打 个 电话 告诉 我。

(4) _____
kàn shū kànlèi le　　jiù chūqu zǒuzou.
（看书 看累 了），就 出去 走走。

(5) _____
dǎ gōng　　huānyíng lái wǒmen gōngsī.
（打工），欢迎 来 我们 公司。

(6) _____
jiǎn féi　　jiù yīnggāi zhùyì duànliàn.
（减肥），就 应该 注意 锻炼。

2. 把"甚至"填到句中合适的位置，然后朗读。Choose the right positions for "甚至" and then read the sentences aloud.

Lǎo Liú　　hěn xǐhuan yóu yǒng,　　dōngtiān dōu　　qù yóu yǒng.
(1) 老刘 __a__ 很喜欢 游泳，__b__ 冬天 都 __c__ 去 游泳。

Tā　　jiǎn féi de shíhou　　bù chī ròu,　　bù chī mǐfàn.
(2) 她 __a__ 减肥的时候 __b__ 不吃肉，__c__ 不吃米饭。

Zhāng jīnglǐ　　qùguo hěn duō dìfang,　　qùguo nánjí
(3) 张 经理 __a__ 去过很多地方，__b__ 去过 南极 __c__。

Tā   fāxiàn qīzi jīntiān   méi shōushi fángjiān,   wǎn dōu méi xǐ.
(4) 他 __a__ 发现 妻子 今天 __b__ 没 收拾 房间，__c__ 碗 都 没 洗。

Ānni   búdàn   huì chàng gē,   hái huì tán gāngqín hé   lā xiǎotíqín.
(5) 安妮 不但 __a__ 会 唱 歌，__b__ 还会弹 钢琴 和 __c__ 拉小提琴。

Wáng jīnglǐ jīntiān   tài máng le,   lián fàn   dōu méiyǒu shíjiān chī.
(6) 王 经理 今天 __a__ 太 忙 了，__b__ 连饭 __c__ 都 没有 时间 吃。

3. 用下列词语组句，然后朗读。Make sentences using the following words/phrases and then read the sentences aloud.

Nǐmen   néng   dehuà   nǔlì   jìnrù juésài   yàoshi   shènzhì
(1) 你们   能   的话   努力   进入 决赛   要是   甚至

→ _____

hái néng   xìngyùn   huò jiǎng   dehuà   yàoshi   shènzhì
(2) 还能   幸运   获奖   的话   要是   甚至

→ _____

shènzhì   dehuà   nǐ hòuhuǐ   kěyǐ   yàoshi   zài xuǎn yí cì
(3) 甚至   的话   你后悔   可以   要是   再 选 一 次

→ _____

kěyǐ   nǐ bú fàngxīn   dehuà   xiān bù gěi tā qián   yàoshi   shènzhì
(4) 可以   你 不 放心   的话   先 不 给 他 钱   要是   甚至

→ _____

kěyǐ   nǐ bú kùn   yàoshi   wánr yí ge wǎnshang   shènzhì   dehuà
(5) 可以   你 不 困   要是   玩儿 一 个 晚上   甚至   的话

→ _____

tā shènzhì   xiǎng bēi bāo lǚyóu   yǒu jīhuì   dehuà   yì nián   yàoshi
(6) 他 甚至   想 背 包 旅游   有 机会   的话   一 年   要是

→ _____

三 听力练习 Listening Exercises

1. 听长对话，选择正确答案。Listen to the long dialogues and choose the right answers.

14-1
        qù zuò chuán   chá tiānqì   huí Shànghǎi
(1) a. 去 坐 船   b. 查 天气   c. 回 上海

        hǎo péngyou   jiějie hé mèimei   māma hé nǚ'ér
(2) a. 好 朋友   b. 姐姐 和 妹妹   c. 妈妈 和 女儿

2. 听下面一段话，回答问题。Listen to the passage and answer the questions.

14-2
        Bàba tóngyì shénme le?
(1) 爸爸 同意 什么 了？

        Bàba shuō zěnme cái néng xuéhǎo Hànyǔ?
(2) 爸爸 说 怎么 才 能 学好 汉语？

70

汉字练习 Exercises on Chinese Characters

1. 用下列汉字组词。Make words using the following characters.

后: ＿＿＿＿＿＿＿、＿＿＿＿＿＿＿、＿＿＿＿＿＿＿、＿＿＿＿＿＿＿

进: ＿＿＿＿＿＿＿、＿＿＿＿＿＿＿、＿＿＿＿＿＿＿、＿＿＿＿＿＿＿

2. 听写句子。Write down the sentences you hear.

14-3

(1) ＿＿＿＿＿＿＿＿＿＿＿＿＿＿＿＿＿＿＿＿＿＿＿＿＿＿＿＿＿＿＿＿

(2) ＿＿＿＿＿＿＿＿＿＿＿＿＿＿＿＿＿＿＿＿＿＿＿＿＿＿＿＿＿＿＿＿

五 交际练习 Communicative Exercise

根据提示词语完成对话。Complete the dialogues based on the hints given.

(1) A：Xiànzài gòu wù wǎngzhàn
现在 购物 网站 ＿＿＿＿＿＿＿＿＿＿＿＿（越来越）yuèláiyuè，我 都 不 知道 wǒ dōu bù zhīdào ＿＿＿＿＿＿＿＿＿

＿＿＿＿＿＿＿＿。

B：Wǒ cháng zài wǎng shang mǎi dōngxi, wǒ lái bāng nǐ ba.
我 常 在 网 上 买 东西，我 来 帮 你 吧。＿＿＿＿＿＿＿＿＿＿＿？

A：Wǒ xiǎng mǎi shuāng xié, nǐ gěi wǒ jièshào
我 想 买 双 鞋，你 给 我 介绍＿＿＿＿＿＿＿＿＿＿＿。

B：Mǎi xié wǒ jīngcháng shàng "Hǎolèmǎi",
买鞋 我 经常 上 "好乐买"，＿＿＿＿＿＿＿＿＿＿＿（又……又……）yòu…… yòu……。

A：＿＿＿＿＿＿＿＿＿＿＿（要是……的话）yàoshi…… dehuà，能 退 能 换 吗？néng tuì néng huàn ma?

B：Búdàn
不但＿＿＿＿＿＿＿＿＿＿＿＿＿＿＿，＿＿＿＿＿＿＿＿＿＿＿＿（甚至）shènzhì。

(2) A：Nǐ zěnme yǒudiǎnr bù gāoxìng?
你 怎么 有点儿 不 高兴？

B：Wǒ bàba
我 爸爸＿＿＿＿＿＿＿＿＿＿＿（毕业照）bìyèzhào，甚至 shènzhì ＿＿＿＿＿＿＿＿＿＿＿＿

míngtiān de bì yè diǎnlǐ
（明天 的 毕业 典礼）。

A：Tā míngtiān méiyǒu shíjiān ma?
他 明天 没有 时间 吗？

B：＿＿＿＿＿＿＿＿＿＿＿＿＿＿＿＿＿。（出差）chū chāi

A：Wǒ juéde
我 觉得＿＿＿＿＿＿＿＿＿＿＿（要是……的话）yàoshi…… dehuà，＿＿＿＿＿＿＿＿＿＿＿＿＿＿

hòuhuǐ
（后悔）。

B：Nà wǒ gěi tā dǎ diànhuà,
那 我 给 他 打 电话，＿＿＿＿＿＿＿＿＿＿＿＿＿＿＿＿＿。

根据下表和提示词语，完成下面的一段话。Complete the following paragraph based on the form and hints.

	教育方式1	教育方式2
生活	做游戏、做运动、跟老师去郊游	上学、回家
学习	在家玩儿、看电视、不写作业就睡觉	写作业、复习，很晚睡觉
爱好	自己选择爱好	父母决定，带孩子学外语、学音乐，可能学孩子不喜欢的东西
活动	父母陪孩子去博物馆、旅游，当义工	父母陪孩子学习

Wǒ fāxiàn, xiànzài de jiātíng li yǒu liǎng zhǒng jiàoyù fāngshì, zhè liǎng zhǒng fāngshì yǒu hěn dà de bù tóng.
我 发现，现在 的 家庭 里 有 两 种 教育 方式，这 两 种 方式 有 很 大 的 不 同。

Yì zhǒng jiàoyù fāngshì shì háizi měi tiān yǒu
一 种 教育 方式 是 孩子 每 天 有 ＿＿＿＿＿＿＿＿＿＿（丰富），＿＿＿＿＿＿＿＿
fēngfù

shènzhì   shènzhì
＿＿＿＿，甚至 ＿＿＿＿＿＿＿＿＿＿。孩子 回 家 以后 ＿＿＿＿＿＿＿＿＿＿，甚至
Háizi huí jiā yǐhòu

jiù kěyǐ qù shuì jiào. Háizi kěyǐ   Fùmǔ péi
＿＿＿＿＿＿＿＿＿＿就 可以 去 睡 觉。孩子 可以 ＿＿＿＿＿＿＿＿＿＿。父母 陪

háizi zuò hěn duō shìqing,   shènzhì
孩子 做 很 多 事情，＿＿＿＿＿＿＿＿＿＿，甚至 ＿＿＿＿＿＿＿＿＿＿。

Lìng yì zhǒng jiàoyù fāngshì shì háizi   Huí jiā yǐhòu chúle
另 一 种 教育 方式 是 孩子 ＿＿＿＿＿＿＿＿＿＿。回 家 以后 除了 ＿＿＿＿＿＿＿

hái yào   hěn wǎn cái néng shuì jiào. Fùmǔ juédìng
＿＿＿＿＿，还要 ＿＿＿＿＿＿＿＿＿＿，很 晚 才 能 睡 觉。父母 决定 ＿＿＿＿＿＿

Xiūxi de shíhou, háizi yào   shènzhì
＿＿＿＿＿＿。休息 的 时候，孩子 要 ＿＿＿＿＿＿＿＿＿＿，甚至 ＿＿＿＿＿＿＿＿＿。

Fùmǔ
父母 ＿＿＿＿＿＿＿＿＿＿＿＿＿＿。

Wǒ juéde
我 觉得 ＿＿＿＿＿＿＿＿＿＿＿＿＿＿＿＿＿＿＿＿＿＿＿＿＿＿＿＿＿＿＿＿＿＿＿

＿＿＿＿＿＿＿＿＿＿＿＿＿＿＿＿＿＿＿＿＿＿＿＿＿＿＿＿＿＿＿＿＿＿＿＿＿＿。

Dìqiú   yì   xiǎoshí
地球一小时
Earth Hour

一 **词汇练习** Vocabulary Exercises

1. **连线并朗读。** Match and read aloud.

(1) 减少   节约水电

(2) 度过   专业

(3) 选择   环境保护活动

(4) 发起   亲子时光

(5) 倡议   碳排放

(6) 排放   有害物质

2. **选词填空并朗读。** Choose a word to fill in each blank and then read the sentences aloud.

tán xīn	xiàng	xī dēng	wǎncān	jùcān	shípǐn
a. 谈心	b. 项	c. 熄灯	d. 晚餐	e. 聚餐	f. 食品

Nǐ yīnggāi duō yùndòng, duō chī yìxiē jiànkāng
(1) 你应该多运动，多吃一些健康_____。

Wáng āyí fēicháng rèqíng, dàjiā dōu yuànyì gēn tā   zhǎo tā jiějué wèntí.
(2) 王阿姨非常热情，大家都愿意跟她_____，找她解决问题。

Zhàngfu zuòle yì zhuō fēngshèng de   děngzhe qīzi huí jiā.
(3) 丈夫做了一桌丰盛的_____，等着妻子回家。

Wǒ hé péngyou měi ge yuè dōu yào   Yǒu shíhou qù fànguǎnr, yǒu shíhou zài jiāli.
(4) 我和朋友每个月都要_____。有时候去饭馆儿，有时候在家里。

Zuìhòu yí wèi líkāi jiàoshì de tóngxué, qǐng bié wàngle
(5) 最后一位离开教室的同学，请别忘了_____。

Zhè   xiāoshòu rènwu hěn zhòngyào, nǐ néng wánchéng ma?
(6) 这_____销售任务很重要，你能完成吗？

3. **根据图片选择相应的词语。** Choose the corresponding word for each picture.

a. 西餐   b. 中餐   c. 花瓶   d. 签证   e. 身份证   f. 婚纱

(1) _____   (2) _____   (3) _____   (4) _____   (5) _____   (6) _____

4. 为下面的名词选择相应的动词。Choose the right verb for each noun.

xiě a. 写	bǎi b. 摆	chā c. 插	qiē d. 切	tián e. 填	jiǎn f. 剪

(1) _____ yǐzi 椅子　　(2) _____ Hànzì 汉字　　(3) _____ zhǐ 纸

(4) _____ dàngāo 蛋糕　　(5) _____ huār 花儿　　(6) _____ biǎo 表

二 语法练习　Grammar Exercises

1. 用"或者A或者B"改写下列句子，然后朗读。Rewrite the following sentences using "或者A
或者B" and then read the new sentences aloud.

Rúguǒ yǒu wèntí,　nǐ　kěyǐ gěi wǒ fā duǎnxìn,　yě kěyǐ　fā diànzǐ yóujiàn.
(1) 如果 有 问题，你 可以 给 我 发 短信，也 可以 发 电子 邮件。

→ _____

Jīnnián hánjià wǒ kěnéng qù Xiānggǎng,　yě kěnéng qù Lúndūn.
(2) 今年 寒假 我 可能 去 香港，也 可能 去 伦敦。

→ _____

Wǒ jīngcháng qù nà jiā kāfēidiàn,　yǒu shíhou kàn shū,　yǒu shíhou shàng wǎng.
(3) 我 经常 去 那家 咖啡店，有 时候 看 书，有 时候 上 网。

→ _____

Míngtiān wǒ gěi nǐ dǎ diànhuà,　kěnéng shàngwǔ,　kěnéng xiàwǔ.
(4) 明天 我 给 你 打 电话，可能 上午，可能 下午。

→ _____

Zhōumò,　Ālǐ　yìbān zài jiā kànkan diànshì,　yǒushí yě dǎsǎo dǎsǎo fángjiān.
(5) 周末，阿里 一般 在 家 看看 电视，有时 也 打扫 打扫 房间。

→ _____

Zài zhè jiā shāngdiàn mǎi dōngxi,　nǐ shuā kǎ、　jiāo xiànjīn dōu kěyǐ.
(6) 在 这家 商店 买 东西，你 刷 卡、交 现金 都 可以。

→ _____

2. 选词填空并朗读。Choose a word to fill in each blank and then read the sentences aloud.

náshang a. 拿上	chuānshang b. 穿上	huàshang c. 画上	xiěshang d. 写上	tiēshang e. 贴上	zhòngshang f. 种上

zhè jiàn qípáo,　nǐ　jiù shì zuì piàoliang de nǚrén.
(1) _____ 这 件 旗袍，你 就 是 最 漂亮 的 女人。

Qùnián,　yéye nǎinai zài ménkǒu　le píngguǒshù.
(2) 去年，爷爷 奶奶 在 门口 _____ 了 苹果树。

Qǐng nín zài zhèr yòng Hànzì　zìjǐ de míngzi.
(3) 请 您 在 这儿 用 汉字 _____ 自己 的 名字。

Běnjiémíng xiěhǎo dìzhǐ,   yóupiào, zhǔnbèi bǎ xìn jì chuqu.
(4) 本杰明 写好 地址，_____邮票，准备 把 信 寄 出去。

Wǒ huàle yì zhī xiǎo gǒu,   kěshì hái méi wèi tā   yǎnjing.
(5) 我 画了 一 只 小 狗，可是 还 没 为 它_____眼睛。

Tā xǐwán liǎn,   shǒujī,   lián zǎofàn dōu méi chī jiù chū mén le.
(6) 他 洗完 脸，_____手机，连 早饭 都 没 吃 就 出 门 了。

3. 根据提示词语，用"或者A或者B"或"v.＋上"完成句子，然后朗读。Complete the sentences using "或者A或者B" or "v.＋上" based on the hints given and then read the sentences aloud.

nǐ zhǐyào sān diǎn dào gōngsī jiù kěyǐ.   dìtiě,   chūzūchē
(1) _____，你 只要 三 点 到 公司 就 可以。（地铁，出租车）

Nǐ yīnggāi xué yì mén wàiyǔ,   Hànyǔ,   Xībānyáyǔ
(2) 你 应该 学 一 门 外语，_____。（汉语，西班牙语）

Nǐ kěyǐ bǎ zìjǐ de xiǎngfǎ gàosu lǎoshī,
(3) 你 可以 把 自己 的 想法 告诉 老师，_____。

shuō chulai,   xiě chulai
（说 出来，写 出来）

Qǐng nǐ zài shēnqǐngbiǎo shang   míngzi,   zhàopiàn
(4) 请 你 在 申请 表 上 _____。（名字，照片）

Kàn diànyǐng de shíhou, yào   yǎnjìng
(5) 看 3D 电影 的 时候，要_____。（眼镜）

Cānjiā zhòngyào huìyì,   nǐ děi   píxié,   lǐngdài
(6) 参加 重要 会议，你 得_____。（皮鞋，领带）

三 听力练习 Listening Exercises

1. 听长对话，选择正确答案。Listen to the long dialogues and choose the right answers.

15-1
        nà mén kè   jiàocái   bàomíngbiǎo
(1) a. 那 门 课   b. 教材   c. 报名表

        yínsè   lǜsè   hēisè
(2) a. 银色   b. 绿色   c. 黑色

2. 听下面一段话，回答问题。Listen to the passage and answer the questions.

15-2
        Běijīng lù biān de xiǎo gōngyuán li yǒu shénme?
(1) 北京 路 边 的 小 公园 里 有 什么？

        Zhèyàng de xiǎo gōngyuán yǒu shénme hǎochù?
(2) 这样 的 小 公园 有 什么 好处？

四 汉字练习 Exercises on Chinese Characters

1. 根据拼音写出正确的汉字，然后朗读。Write down the right characters based on the pinyin, and then read the sentences aloud.

        (yì)   (yì)
(1) _____工 们 倡_____：全 社会 要 多 关心 老年人。

        (xīn)   (qīn)
(2) _____年 前 一 天，幼儿园 组织 了 一 次_____子 活动，有 很多 父母 带着 孩子 参加。

75

2. 听写句子。Write down the sentences you hear.

15-3

(1) _____

(2) _____

五 交际练习 Communicative Exercise

根据提示词语完成对话，注意用上"或者A或者B"或"v.+上"。Complete the dialogues based on the hints given. Remember to use "或者A或者B" or "v. + 上".

(1) A：Qǐngwèn, wǒ xiǎng 请问，我 想_____（ Zhōngwén yǎnjiǎng bǐsài 中文 演讲 比赛），怎么 zěnme

bào míng? 报 名？

B：Nǐ děi xiān 你 得 先_____。

A：Zài nǎr kěyǐ nádào bàomíngbiǎo? 在 哪儿 可以 拿到 报名表？

B：_____（ wǎng shang, bàomíngchù dōu kěyǐ nádào. 网 上，报名处 ），都 可以 拿到。

A：Bàomíngbiǎo yòng Yīngwén háishi Zhōngwén tiánxiě? 报名表 用 英文 还是 中文 填写？

B：Yòng Zhōngwén 用 中文_____，还要_____（ hái yào zhàopiàn 照 片 ）。

(2) A：Nǐ de xīn jiā 你 的 新家_____（ piàoliang 漂亮 ）！

B：Wǒ juéde hái shǎo diǎnr shénme dōngxi. 我 觉得 还 少 点儿 什么 东西。

A：Nǐ kěyǐ zài zhuōzi shang 你 可以 在 桌子 上 _____（ huāpíng 花瓶 ），_____

huār （ 花儿 ）。

B：Nà gāngqín shang ne? 那 钢琴 上 呢？

A：Kěyǐ 可以_____（ zhàopiàn 照 片 ）。

B：Hǎo zhǔyi! 好 主意！

六 语篇练习 Textual Exercises

1. 把下列选项按照合适的顺序排列起来，然后朗读。Put the following items in order and then read the paragraph aloud.

kàn shū kànlèi le, jiù xiūxi yíhuìr
a. 看书 看累 了，就 休息 一会儿

wǒ jīngcháng dàishang yì běn shū, huòzhě qù gōngyuán, huòzhě qù hé biān
b. 我 经常 带上 一 本 书，或者 去 公园，或者 去 河边

zhèyàng jì néng jiējìn dàzìrán, yòu néng bǎohù huánjìng
c. 这样 既 能 接近 大自然，又 能 保护 环境

zhōumò, wǒ bù xǐhuan yí ge rén zài jiā
d. 周末，我不喜欢一个人在家

huòzhě wàngwang lùsè de shù, huòzhě zài hé biān zǒuzou
e. 或者 望望 绿色的树，或者在河边走走

nǐ rènwéi wǒ de zuòfǎ hǎo ma
f. 你认为我的做法好吗

_____

2. 如果你是某环境保护基金会的发言人，请你为保护环境写一份倡议书，注意用上"或者
A 或者 B"或"v. + 上"。Suppose you are the spokesperson for an environmental protection
foundation. Please write a proposal for protecting the environment. Remember to use "或者 A 或者
B" or "v. + 上".

chàngyìshū
倡议书

Zuìjìn jǐ nián, quán qiú de huánjìng   zhèngzài
最近几年，全球的 环境 _____。_____ 正在

bèi pòhuài. Wèile   wǒmen chàngyì:
被破坏。为了_____，我们 倡议：

Duō   shǎo   Shàng-xià bān shí, huòzhě
1. 多_____，少_____。上下班时，或者_____，

huòzhě
或者_____。

Jiéyuē   Zhōumò huò wǎnshang
2. 节约_____。周末 或 晚上 _____。

Gòu wù shí bù yòng   kěyǐ zìjǐ
3. 购物时不用 _____，可以自己_____。

Bù   huò shǎo   Yīnwèi xī yān jì   yòu
4. 不_____，或少 _____。因为吸烟既_____，又_____。

5. _____。

jījīnhuì
_____基金会

nián   yuè   rì
_____年_____月_____日

77

Mǔqīn shuǐjiào

母亲水窖

Water Cellars for Mothers

一 词汇练习 Vocabulary Exercises

1. 根据图片选择相应的词语。Choose the corresponding word for each picture.

a. 干旱　　　b. 劳动　　　c. 山路　　　d. 母亲　　　e. 水窖　　　f. 雨水

(1) _____　　(2) _____　　(3) _____　　(4) _____　　(5) _____　　(6) _____

2. 选词填空并朗读。Choose a word to fill in each blank and then read the sentences aloud.

> gānhàn　　　gānzào
> a. 干旱　　　b. 干燥

Hóngshuǐ hé　　　dōu huì gěi rénmen de shēnghuó dàilai hěn dà de yǐngxiǎng.
(1) 洪水　和_____都会给人们的生活带来很大的影响。

Wǒ bú tài xǐhuan nàge chéngshì, qìhòu tài　　　le.
(2) 我不太喜欢那个城市，气候太_____了。

> qǔdé　　　huòdé
> a. 取得　　　b. 获得

Xiànzài rénmen kěyǐ tōngguò hùliánwǎng　　　hěn duō xìnxī.
(3) 现在人们可以通过互联网_____很多信息。

Wèile　　　shēnghuó yòng shuǐ, zhèxiē fùnǚ yào zǒu hěn yuǎn de shānlù.
(4) 为了_____生活用水，这些妇女要走很远的山路。

> shíxiàn　　　shíshī
> a. 实现　　　b. 实施

Wèile　　　tóngnián de mèngxiǎng, Ānni měi tiān dōu liànxí tán gāngqín.
(5) 为了_____童年的梦想，安妮每天都练习弹钢琴。

Zhōngguó shì shénme shíhou kāishǐ　　　"mǔqīn shuǐjiào" gōngchéng de?
(6) 中国是什么时候开始_____"母亲水窖"工程的？

3. 连线并朗读。Match and read aloud.

修建　　　收集　　　进口　　　举行　　　麻烦　　　减轻

信息　　　别人　　　铁路　　　负担　　　食品　　　婚礼

4. 选词填空并朗读。 Choose a word to fill in each blank and then read the sentences aloud.

lājī	jiéjiàrì	qīnqi	shòu shāng	nán bàn	wǎndiǎn
a. 垃圾	b. 节假日	c. 亲戚	d. 受 伤	e. 难办	f. 晚点

Tīngshuō nǐ___le, yánzhòng bu yánzhòng?
(1) 听说 你_____了，严重 不 严重？

Chúfáng li zěnme zhème duō___zánmen shōushi yíxià ba.
(2) 厨房 里 怎么 这么 多_____，咱们 收拾 一下 吧。

Zhè jiàn shì yǒudiǎnr___ràng wǒ zài xiǎngxiang bànfǎ.
(3) 这 件 事 有点儿_____，让 我 再 想想 办法。

Yuèláiyuè duō de Zhōngguó rén dōu zài___chū guó lǚyóu.
(4) 越来越多 的 中国 人 都 在_____出 国 旅游。

Fēijī yòu___le, wǒ zài jīchǎng děngle sān ge duō xiǎoshí.
(5) 飞机 又_____了，我 在 机场 等了 三 个 多 小时。

Dīng lǜshī zhǐ yāoqǐngle___lái cānjiā zìjǐ de hūnlǐ.
(6) 丁 律师 只 邀请了_____来 参加 自己 的 婚礼。

二 语法练习 Grammar Exercises

1. 根据提示词语，用"大都"完成句子，然后朗读。 Complete the sentences using "大都" based on the hints given and then read the sentences aloud.

Zhège dìfang de zànglíngyáng bù duō, yóukè　　　　　　　　　　kàn bu dào
(1) 这个 地方 的 藏羚羊 不 多，游客_____（看不到）。

Yóuyú tiānqì de yuányīn, jīntiān de hángbān　　　　　　　　　wǎndiǎn
(2) 由于 天气 的 原因，今天 的 航班_____（晚点）。

Wèile jiǎnqīng xuésheng de fùdān, lǎoshī　　　　　　　　　　jiǎnshǎo
(3) 为了 减轻 学生 的 负担，老师_____（减少）。

Zhèxiē hūnshā　　　　　　　　　piàoliang　tā bù zhīdào xuǎn nǎ yí jiàn hǎo.
(4) 这些 婚纱_____（漂亮），她 不 知道 选 哪 一 件 好。

Jīntiān de biǎoyǎn tài jīngcǎi le, wǒ xiǎng méi lái de rén　　　hòuhuǐ
(5) 今天 的 表演 太 精彩 了，我 想 没来 的 人_____（后悔）。

Zhège dìfang de fúwù hěn búcuò, gōngzuò rényuán　　　　　rèqíng
(6) 这个 地方 的 服务 很 不错，工作 人员_____（热情）。

2. 把"不得不"填到句中合适的位置，然后朗读。 Choose the right positions for "不得不" and then read the sentences aloud.

Tā　　　yìzhí xīnqíng bù hǎo, wǒ　　　liú xialai　　péi tā.
(1) 她__a__一直 心情 不 好，我__b__留 下来__c__陪 她。

Táifēng　　　jiù yào lái le, lǚxíng jìhuà　　　wǎng hòu　　tuīchí.
(2) 台风__a__就 要 来 了，旅行 计划__b__往 后__c__推迟。

Wèile　　　wánchéng rènwu, tā　　　jiā bān　　gōngzuò.
(3) 为了__a__完成 任务，他__b__加 班__c__工作。

Zhè jiàn shì méi rén　　　néng bāng wǒ, wǒ　　　zìjǐ xiǎng　　bànfǎ.
(4) 这 件 事 没人__a__能 帮 我，我__b__自己 想__c__办法。

Yóuyú liángshi chǎnliàng　　　jiǎnshǎo, zhèngfǔ　　　cóng bié de guójiā　　jìnkǒu liángshi.
(5) 由于 粮食 产量__a__减少，政府__b__从 别 的 国家__c__进口 粮食。

Tā　　　xiǎng duō shuì yíhuìr, dànshì wàimian yìzhí yǒu rén　　qiāo mén, tā　　qǐ chuáng le.
(6) 她__a__想 多 睡 一会儿，但是 外面 一直 有 人__b__敲 门，她__c__起 床 了。

79

3. 用下列词语和"大都""不得不"组句，然后朗读。Make sentences using the following words/phrases with"大都"and"不得不"and then read the sentences aloud.

(1)
   shòu shāng le   bǐsài   zhège duì de yùndòngyuán   fàngqì le
   受 伤 了   比赛   这个队的 运动员   放弃了

→ 这个队的运动员大都受伤了，不得不放弃了比赛。/

Zhège duì de yùndòngyuán dàdōu shòu shāng le, bùdébù fàngqìle bǐsài.

(2)
   Zhōngguó xībù   rénmen   hěn gānhàn   gōng shēnghuó shǐyòng   shōují yǔshuǐ
   中国 西部   人们   很 干旱   供 生活 使用   收集 雨水

→ _____

(3)
   zài guónèi   tā   jǔxíng hūnlǐ   tā de qīnqi   huí guó
   在 国内   他   举行 婚礼   他的 亲戚   回 国

→ _____

(4)
   qù chéngshì   zài jiā   fùnǚ   zhèli de nánrén   láodòng   dǎ gōng le
   去 城市   在家   妇女   这里的 男人   劳动   打 工 了

→ _____

(5)
   bù xíguàn   chī xīcān   dǎoyóu   qù chī zhōngcān   lǎoniánrén   dài tāmen
   不 习惯   吃 西餐   导游   去 吃 中餐   老年人   带 他们

→ _____

(6)
   gěi tā fānyì   Zhōngwén càidān   Dàwèi   wǒ   kàn bu dǒng
   给 他 翻译   中文 菜单   大卫   我   看 不 懂

→ _____

三 听力练习 Listening Exercises

16-1

1. 听长对话，选择正确答案。Listen to the long dialogues and choose the right answers.

(1)
   a. tóu téng   b. biǎntáotǐ fāyán le   c. mángcháng fāyán le
   a. 头 疼   b. 扁桃体 发炎 了   c. 盲肠 发炎 了

(2)
   a. qù mǎi yīfu   b. qù mǎi zhàoxiàngjī   c. qù gōngyuán jiāoyóu
   a. 去 买 衣服   b. 去 买 照相机   c. 去 公园 郊游

16-2

2. 听下面一段话，回答问题。Listen to the passage and answer the questions.

(1)
   Yǐqián "wǒ" de shēnghuó zěnmeyàng?
   以前 "我" 的 生活 怎么样？

(2)
   Fàngqì gōngzuò yǐhòu, "wǒ" shòu de liǎo ma?   "Wǒ" gǎnjué zěnmeyàng?
   放弃 工作 以后，"我" 受 得 了 吗？   "我" 感觉 怎么样？

四 汉字练习 Exercises on Chinese Characters

1. 用下列汉字组词。Make words using the following characters.

路：_____、_____、_____、_____

80

收：_____、_____、_____、_____

2. 听写句子。Write down the sentences you hear.

16-3

(1) _____

(2) _____

五 交际练习 Communicative Exercise

根据提示词语完成对话。Complete the dialogues based on the hints given.

(1) A: Jiù yào bì yè le,
就要毕业了，_____（找 工作）？

B: Wǒ
我_____（不着急）。

A: Nà
那_____（打算）？

B: Wǒ dǎsuàn
我 打算_____（旅行 一年）。

A: Shì ma? Nǐ bù xiǎng
是吗？你不想_____（赶快）吗？

B: Zài wǒmen guójiā, xiàng wǒ zhème dà de niánqīngrén, dàdōu xiān
在 我们 国家，像 我 这么 大 的 年轻人，大都 先_____，
ránhòu zài zhǎo gōngzuò.
然后 再 找 工作。

A: Wǒmen guójiā
我们 国家_____（压力），因此 我们_____
bùdébù yǐhòu yǒu jīhuì
_____（不得不），以后 有 机会_____。

(2) A: Tīngshuō zài Běijīng, měi zhōu yǒu yì tiān bù néng kāi chē.
听说 在北京，每周 有 一天 不能 开车。

B: Shì a, gēnjù chēpáihào de zuìhòu yí wèi shùzì, měi tiān yǒu liǎng ge shùzì de chē bù néng
是 啊，根据 车牌号 的 最后 一位 数字，每天 有 两个 数字 的 车 不能
shàng lù.
上 路。

A: Zhèyàng zuò huì
这样 做会_____（影响）？

B: Shì de. Běijīng de jiāotōng bú tài hǎo, zhèyàng zuò dàdōu shì wèile
是 的。北京 的 交通 不太 好，这样 做大都 是 为了_____
jiǎnqīng
_____（减轻）。

A: Kěshì xūyào kāi chē de rén
可是需要开车的人_____（方便）。

B: Méi bànfǎ. Wèile jiǎnqīng jiāotōng yālì, yě wèile jiǎnshǎo tàn páifàng, zhèngfǔ
没 办法。为了 减轻 交通 压力，也 为了 减少 碳 排放，政府_____
bùdébù
_____（不得不）。

81

根据提示词语完成下面一段话，注意用上"大都"或"不得不"。 Complete the following paragraph based on the hints given. Remember to use "大都" or "不得不".

            suízhe   de fāzhǎn,   yuèláiyuè dào chéngshì dǎ gōng.

_____（随着）的 发展，_____（越来越）到 城市 打 工。

Zhèxiē rén   niánqīng fūqī   tāmen de gōngzuò hěn xīnkǔ, dàizhe háizi

这些 人_____（年轻 夫妻），他们 的 工作 很 辛苦，带着 孩子

yìqǐ shēnghuó hěn kùnnan, yīncǐ zhèxiē háizi   liú zài nóngcūn Zhèxiē

一起 生活 很 困难，因此 这些 孩子_____（留在 农村）。这些

háizi   yóu lǎorén zhàogu   Tāmen quēshǎo fùmǔ de guān'ài

孩子_____（由 老人 照顾）。他们 缺少 父母 的 关爱（to care），

                       shènzhì

_____（甚至）。

Wǒ rènwéi, yào jiějué zhè yí wèntí, zhèngfǔ yīnggāi

我 认为，要 解决 这 一 问题，政府 应该_____

_____。

Lesson

17

Yuèguāngzú

月光族

The moonlight group

一 词汇练习 Vocabulary Exercises

- -

1. 选词填空并朗读。Choose a word to fill in each blank and then read the sentences aloud.

> *pànwàng*   *xīwàng*
> a. 盼望   b. 希望

    Zhè shì wǒ wèi nǐ zuò de shēngrì dàngāo,   nǐ xǐhuan.
(1) 这 是 我 为 你 做 的 生日 蛋糕，_____ 你 喜欢。

    Xiǎo shíhou, wǒ zǒngshì   zhe kuài diǎnr zhǎngdà.
(2) 小 时候，我 总是 _____ 着 快 点儿 长大。

> *dùguò*   *huā*
> a. 度过   b. 花

    Shàng zhōumò shì yéye de shēngrì, quán jiā rén zài yìqǐ   le yúkuài de yì tiān.
(3) 上 周末 是 爷爷 的 生日，全 家 人 在 一起 _____ 了 愉快 的 一 天。

    Wǒmen kāizhe chē,   le yí ge duō xiǎoshí cái zhǎodào nà jiā shūdiàn.
(4) 我们 开着 车，_____ 了 一个 多 小时 才 找到 那 家 书店。

> *wúnài*   *bùdébù*
> a. 无奈   b. 不得不

    Wǒ zhǐ shèngxia liǎng kuài qián,   zuò gōnggòng qìchē huí jiā.
(5) 我 只 剩下 两 块 钱，_____ 坐 公共 汽车 回家。

    Nà wèi lǎorén   de jiēshòule tāmen de tiáojiàn, cóng lǎo fángzi li bān chuqu le.
(6) 那 位 老人 _____ 地 接受了 他们 的 条件，从 老 房子 里 搬 出去 了。

2. 选词填空并朗读。Choose a word to fill in each blank and then read the sentences aloud.

> *jīběn*   *pǔbiàn*   *qíshí*   *ǒu'ěr*   *suàn*   *gòu*
> a. 基本   b. 普遍   c. 其实   d. 偶尔   e. 算   f. 够

    Māma zuǐ shang shuō ràng háizi zìjǐ shēnghuó,   xīnli hěn diànji tā.
(1) 妈妈 嘴 上 说 让 孩子 自己 生活，_____ 心里 很 惦记 他。

    Āliàng měi tiān yào shàng kè, wǎnshang yào dǎ gōng, zhōumò hái yào zuò yìgōng,   méiyǒu shíjiān guàng
(2) 阿亮 每 天 要 上 课，晚上 要 打工，周末 还 要 做 义工，_____ 没有 时间 逛

    shāngchǎng.
    商场。

    Nǐ yí ge dà xiǎohuǒzi,   yì wǎn zhájiàngmiàn zěnme   chī ne?
(3) 你 一个 大 小伙子，一 碗 炸酱面 怎么 _____ 吃 呢？

    Zài zhège chéngshì, qí chē shàng-xià bān shì yí ge fēicháng   de xiànxiàng.
(4) 在 这个 城市，骑 车 上 下班 是 一个 非常 _____ 的 现象。

    Wǒ zhǐ shì   hē yì bēi kāfēi, jīngcháng hē dehuà huì shuì bu zháo jiào.
(5) 我 只 是 _____ 喝 一 杯 咖啡，经常 喝 的话 会 睡 不 着 觉。

    Zài Běijīng, yí ge yuè   kuài zūjīn de fángzi bú   guì.
(6) 在 北京，一个 月 2000 块 租金 的 房子 不 _____ 贵。

3. 连线并朗读。Match and read aloud.

(1) 改变   态度

(2) 接触   大自然

(3) 出口   条件

(4) 当   心里话

(5) 改善   产品

(6) 说   导演

4. 根据图片选择相应的词语。Choose the corresponding word for each picture.

a. 月初   b. 年底   c. 月中   d. 年初   e. 年中   f. 月底

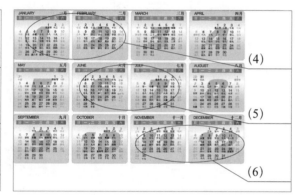

二 语法练习 Grammar Exercises

1. 连线并朗读。Match and read aloud.

(1) Zhǐyǒu tōngguò kǎoshì,
只有 通过 考试,   cái néng dǎkāi nàge xiāngzi.
才 能 打开 那个 箱子。

(2) Zhǐyǒu dúwán nà běn xiǎoshuō,
只有 读完 那 本 小说,   cái huì zhīdào zhàogu háizi de xīnkǔ.
才 会 知道 照顾 孩子 的 辛苦。

(3) Zhǐyǒu dāngle māma,
只有 当了 妈妈,   cái néng cóng zhè suǒ xuéxiào bì yè.
才 能 从 这 所 学校 毕业。

(4) Zhǐyǒu nà bǎ huángsè de yàoshi
只有 那把 黄色 的 钥匙   cái néng yǒu qián mǎi wǎncān.
才 能 有 钱 买 晚餐。

(5) Zhǐyǒu jīnglìguo gānhàn de rén
只有 经历过 干旱 的 人   cái néng zhīdào shéi shì zhēnzhèng de xiǎotōu.
才 能 知道 谁 是 真正 的 小偷。

(6) Zhǐyǒu bǎ huār dōu màiguāng,
只有 把 花儿 都 卖光,   cái gèng zhīdào jiéyuē shuǐ zīyuán.
才 更 知道 节约 水 资源。

84

2. 用"不仅 X，还 Y"把下面两个句子合并成一句，然后朗读。Combine two sentences into one using "不仅 X，还 Y" and then read the new sentences aloud.

(1) Zhāng mìshū jīntiān yào zhǔnbèi huìyì wénjiàn. Zhāng mìshū jīntiān yào qù jīchǎng jiē rén.
张 秘书今天要准备会议文件。 张 秘书今天要去机场接人。

→ _____

(2) Qīng-Zàng tiělù shì shìjiè shang zuì cháng de tiělù. Qīng-Zàng tiělù shì shìjiè shang zuì gāo de tiělù.
青藏 铁路是世界上最长的铁路。青藏 铁路是世界上最高的铁路。

→ _____

(3) Nàxiē hǎitún bǎ tāmen jǐnjǐn de wéi zài zhōngjiān. Nàxiē hǎitún yòng lì de pāidǎ shuǐmiàn.
那些海豚把他们紧紧地围在 中间。那些海豚用 力地拍打 水面。

→ _____

(4) Xiéyīncí de shǐyòng shǐ Hànyǔ de biǎodá gèng fēngfù. Xiéyīncí de shǐyòng shǐ Hànyǔ de biǎodá gèng yǒuqù.
谐音词的使用使汉语的表达 更丰富。谐音词的使用使汉语的表达 更有趣。

→ _____

(5) Nàge zhuàngle tā de rén méi shuō duìbuqǐ. Nàge zhuàngle tā de rén qízhe chē líkāi le.
那个撞了他的人没说对不起。那个撞了他的人骑着车离开了。

→ _____

(6) Jǐngchá zhǎodàole wǒ de zìxíngchē. Jǐngchá bǎ zìxíngchē gěi wǒ sòng huilai le.
警察 找到了我的自行车。警察把自行车给我送回来了。

→ _____

3. 把括号里的词语填到句中合适的位置，然后朗读。Choose the right positions for the words in the brackets and then read the sentences aloud.

(1) Zhǐyǒu Ālǐ nàme cōngming de rén, néng xiǎng chulai zhème hǎo de zhǔyi. cái
只有阿里那么 聪明 的人，__a__ 能 __b__ 想出来 __c__ 这么好的主意。（才）

(2) Hēigé'ěr de fùqīn shuō, zhǐyǒu kōng mǎchē, huì chǎnshēng nàme dà de zàoyīn. cái
黑格尔的父亲说，只有空马车，__a__ 会 __b__ 产生 __c__ 那么大的噪音。（才）

(3) nǐ péi wǒ, wǒ cái yuànyì qù lǚxíng. zhǐyǒu
__a__ 你陪我，__b__ 我才愿意 __c__ 去旅行。（只有）

(4) Tā jiàndào wǒ, méi dǎ zhāohu, hái lěnglěng de kànle wǒ yì yǎn. bùjǐn
他 __a__ 见到我，__b__ 没打招呼，__c__ 还冷冷地看了我一眼。（不仅）

(5) Lín jiàoshòu bùjǐn yánjiū huánjìng wūrǎn wèntí, tā yánjiū zěnyàng bǎohù huánjìng. hái
林 教授 不仅 __a__ 研究 环境 污染问题，他 __b__ 研究 __c__ 怎样 保护 环境。（还）

(6) zài gōngzuò zhōng, rénmen bùjǐn rènshile shìjiè, gǎibiànle shìjiè. hái
__a__ 在工作 中，人们不仅 __b__ 认识了世界，__c__ 改变了世界。（还）

三 听力练习 _Listening Exercises_

17-1

1. 听长对话，选择正确答案。Listen to the long dialogues and choose the right answers.

(1) a. 淡水湖
dànshuǐhú

b. 藏羚羊
zànglíngyáng

c. 淡水湖 的 名字
dànshuǐhú de míngzi

(2) a. 老北京 的
lǎo Běijīng de

b. 老饭馆儿 的
lǎo fànguǎnr de

c. 家里 的
jiāli de

17-2

2. 听下面一段话，回答问题。Listen to the passage and answer the questions.

(1) 为 什么 很多 农村 家庭 只有 老人 和 儿童？
Wèi shénme hěn duō nóngcūn jiātíng zhǐ yǒu lǎorén hé értóng?

(2) 那些 年轻人 什么 时候 才 回家？
Nàxiē niánqīngrén shénme shíhou cái huí jiā?

四 汉字练习 _Exercises on Chinese Characters_

1. 辨认汉字，选择正确的汉字填空，然后朗读。Distinguish the characters, choose the right character to fill in each blank, and then read the sentences aloud.

(1) 今年 夏天 天气 不____不热，____而 特别 凉快。（a.反　b.仅）
Jīnnián xiàtiān tiānqì bù　bú rè,　ér tèbié liángkuai.

(2) 我 跟 我 丈夫 的 相____非常____然，我们 是 在 飞机 上 认识 的。（a.遇　b.偶）
Wǒ gēn wǒ zhàngfu de xiāng　fēicháng　rán, wǒmen shì zài fēijī shang rènshi de.

17-3

2. 听写句子。Write down the sentences you hear.

(1) _____

(2) _____

五 交际练习 _Communicative Exercise_

询问你的同学或朋友下列问题，用"只有 X，才 Y"或"不仅 X，还 Y"回答。Ask a classmate or friend the following questions and they should answer them with "只有 X，才 Y" or "不仅 X，还 Y".

(1) 你 觉得 什么 样 的 人 可以 当 校长？
Nǐ juéde shénme yàng de rén kěyǐ dāng xiàozhǎng?

→ _____

(2) 你 认为 什么 样 的 朋友 是 真正 的 朋友？
Nǐ rènwéi shénme yàng de péngyou shì zhēnzhèng de péngyou?

→ _____

(3) 你 认为 健康 重要 吗？为 什么？
Nǐ rènwéi jiànkāng zhòngyào ma? Wèi shénme?

→ _____

(4) 吸烟 有 什么 不 好？
Xī yān yǒu shénme bù hǎo?

→ _____

Nǐ xǐhuan kuài jiézòu de shēnghuó háishi màn jiézòu de shēnghuó? Wèi shénme?
(5) 你喜欢快节奏的 生活 还是慢节奏的 生活？为 什么？

→ _____

Nǐ rènwéi chéngwéi yì míng yōuxiù de lǎoshī de tiáojiàn shì shénme?
(6) 你认为 成为 一 名 优秀的老师的 条件 是 什么？

→ _____

六 语篇练习 Textual Exercises

1. 把下列选项按照合适的顺序排列起来，然后朗读。Put the following items in order and then read the paragraph aloud.

nàli de hǎishuǐ tèbié lán, yángguāng tèbié míngmèi, shuǐguǒ yě tèbié xīnxiān
a. 那里 的 海水 特别 蓝， 阳光 特别 明媚， 水果 也特别 新鲜

zài nàli, wǒ bùjǐn yóule yǒng, xiǎngshòule yángguāng, hái chīdàole hěn duō shuǐguǒ
b. 在 那里， 我 不仅 游了 泳， 享受了 阳光，还吃到了 很多 水果

wǒ zhǐ shuōle yí jù huà: "Zhǐyǒu zìjǐ qùguo yí cì, cái néng zhēnzhèng gǎnshòu dào."
c. 我 只 说了 一句 话："只有 自己 去过 一 次， 才 能 真正 感受到。"

qùnián Chūnjié wǒ shì zài Hǎinán dùguò de
d. 去年 春节 我 是 在 海南 度过 的

nàr de dōngtiān yìdiǎnr yě bù lěng
e. 那儿 的 冬天 一点儿 也 不 冷

huílai hòu, péngyoumen dōu wèn wǒ: "Hǎinán zěnmeyàng?"
f. 回来后， 朋友们 都 问 我："海南 怎么样？"

_____

2. 假如你每月有 8000 块钱，为自己制订一个"每月支出计划"，注意用上"不仅 X，还 Y"。Suppose your salary is 8,000 *yuan* per month. Make a plan for your monthly expenditure. Remember to use "不仅 X，还 Y".

每月支出（expend）计划
月工资：___8000___元
支出：_____元
（1）_____
（2）_____
（3）_____
（4）_____
剩余：_____元

Wǒ měi ge yuè de gōngzī shì yuán. Wǒ bùjǐn yào hái yào
我每个月的工资是8000元。我不仅要_____，还要_____

yào zhīfù yuán, yào zhīfù
__。_____要 支付_____元，_____要 支付____

yuán, yào zhīfù yuán, yào
_____元,_____要 支付_____元,_____要

zhīfù yuán. Shèngxia yuán, wǒ dǎsuàn
支付_____元。剩下 _____元,我打算_____。

87

Lesson 18

细心

The quality of being meticulous

一 词汇练习 Vocabulary Exercises

1. 根据图片选择相应的词语。Choose the corresponding word for each picture.

a. 会议　　b. 山水　　c. 课表　　d. 增加　　e. 背面　　f. 会计

(1) _____　(2) _____　(3) _____　(4) _____　(5) _____　(6) _____

2. 选词填空并朗读。Choose a word to fill in each blank and then read the sentences aloud.

> xìxīn　　rènzhēn
> a. 细心　　b. 认真

Tā de gōngzuò tàidu yìzhí hěn
(1) 她 的 工作 态度 一直 很_____。

Jiǎnchá de shíhou yídìng yào　　bù néng yǒu yìdiǎnr cuòr.
(2) 检查 的 时候 一定 要_____，不 能 有 一点儿 错儿。

> kuàguó　　guójì
> a. 跨国　　b. 国际

Tā māma shì yì jiā　　gōngsī de jīnglǐ.
(3) 他 妈妈 是 一 家_____公司 的 经理。

Wǒ měi tiān kàn xīnwén, jíshí liǎojiě dāngqián de　　xíngshì.
(4) 我 每 天 看 新闻，及时 了解 当前 的_____形势。

> biàn　　lún
> a. 遍　　b. 轮

Liù　　bǐsài yǐhòu, Yìdàlì duì huòdéle guànjūn.
(5) 六_____比赛 以后，意大利 队 获得 了 冠军。

Wǒ xiǎng zài kàn yí　　nàge diànshìjù.
(6) 我 想 再 看 一_____那个 电视剧。

3. 连线并朗读。Match and read aloud.

一位　　　一张　　　一种　　　一门　　　一条　　　一件

假币　　　难事　　　课程　　　主考官　　　能力　　　新闻

4. 选词填空并朗读。 Choose a word to fill in each blank and then read the sentences aloud.

shùnlì	zhèngshì	lùyòng	hǎochù	zēngjiā	yùnyòng
a. 顺利	b. 正式	c. 录用	d. 好处	e. 增加	f. 运用

nián， mǔqīn shuǐjiào gōngchéng　　　 kāishǐ shíshī．
(1) 2001 年，母亲 水窖 工程 ＿＿＿＿开始 实施。

Wǒmen yīnggāi bǎ xuédào de zhīshi　　 dào shēnghuó zhōng qù．
(2) 我们 应该 把 学到 的 知识＿＿＿＿到 生活 中 去。

Nǐ bié xī nàme duō yān le， xī yān duì shēntǐ méiyǒu
(3) 你 别 吸 那么 多 烟 了，吸 烟 对 身体 没有 ＿＿＿＿。

Tīngshuō nǐ bèi yì jiā kuàguó gōngsī　　 le， wǒ zhēn tì nǐ gǎndào gāoxìng．
(4) 听说 你 被 一家 跨国 公司＿＿＿＿了，我 真 替 你 感到 高兴。

Yóuyú Lǐ xiǎojiě nòngdiūle qiānzhèng， mǎi jīpiào de shíhou bú tài
(5) 由于 李 小姐 弄丢了 签证，买 机票 的 时候 不太＿＿＿＿。

Yuèguāngzú búdàn yào jiéyuē yòng qián， hái yào xiǎng bànfǎ　　 zìjǐ de shōurù．
(6) 月光族 不但 要 节约 用 钱，还要 想 办法＿＿＿＿自己 的 收入。

语法练习　Grammar Exercises

1. 用"都"对下列句子的画线部分提问。 Ask questions about the underlined parts using "都".

Míngtiān yǒu shùxuékè、Yīngwénkè、 dìlǐkè hé tǐyùkè．
(1) 明天 有 数学课、英文课、地理课 和 体育课。

　　→ ＿＿＿＿＿＿＿＿＿＿＿＿＿＿＿＿＿＿＿＿＿＿＿＿＿＿＿＿

Wǒ zhège yuè mǎile yí ge shǒujī、 liǎng jiàn yīfu hé sān běn shū．
(2) 我 这个 月 买了 一个 手机、 两 件 衣服 和 三 本 书。

　　→ ＿＿＿＿＿＿＿＿＿＿＿＿＿＿＿＿＿＿＿＿＿＿＿＿＿＿＿＿

Qí zìxíngchē de hǎochù hěn duō， kěyǐ duànliàn shēntǐ， hái kěyǐ bǎohù huánjìng．
(3) 骑 自行车 的 好处 很 多，可以 锻炼 身体，还 可以 保护 环境。

　　→ ＿＿＿＿＿＿＿＿＿＿＿＿＿＿＿＿＿＿＿＿＿＿＿＿＿＿＿＿

Zuótiān de jùhuì shang, wǒ jiàndàole Lǐ Lì、 Zhāng Qiáng、 Wáng Huān hé Zhào Míng．
(4) 昨天 的 聚会 上，我 见到 了 李 丽、张 强、王 欢 和 赵 明。

　　→ ＿＿＿＿＿＿＿＿＿＿＿＿＿＿＿＿＿＿＿＿＿＿＿＿＿＿＿＿

Jīnglǐ cānjiāguo de huìyì yǒu értóng jījīn huìyì、 quán qiú jīngjì huìyì、 shípǐn ānquán huìyì．
(5) 经理 参加过 的 会议 有 儿童 基金 会议、全球 经济 会议、食品 安全 会议。

　　→ ＿＿＿＿＿＿＿＿＿＿＿＿＿＿＿＿＿＿＿＿＿＿＿＿＿＿＿＿

Yìngpìnzhě yǒu dàxué bìyèshēng、 gāng cóng hǎiwài liú xué huílai de xuésheng, hái yǒu qítā gōngsī
(6) 应聘者 有 大学 毕业生、 刚 从 海外 留学 回来 的 学生，还有 其他 公司

de xiāoshòuyuán．
的 销售员。

　　→ ＿＿＿＿＿＿＿＿＿＿＿＿＿＿＿＿＿＿＿＿＿＿＿＿＿＿＿＿

2. 用下列词语组句，然后朗读。Make sentences using the following words/phrases and then read
   the sentences aloud.

(1) 月光族　总是　来说　不够花　对　钱
  yuèguāngzú zǒngshì lái shuō bú gòu huā duì qián

 → _____

(2) 记住　很重要　来说　道路的名字　司机　对
  jìzhù hěn zhòngyào lái shuō dàolù de míngzi sījī duì

 → _____

(3) 导演　来说　拍出　优秀的电影　对　最重要
  dǎoyǎn lái shuō pāichū yōuxiù de diànyǐng duì zuì zhòngyào

 → _____

(4) 好吃的饭馆儿　美食家　来说　是最幸福的事　对　找到
  hǎochī de fànguǎnr měishíjiā lái shuō shì zuì xìngfú de shì duì zhǎodào

 → _____

(5) 来说　比事业　女人　对　家庭　更重要
  lái shuō bǐ shìyè nǚrén duì jiātíng gèng zhòngyào

 → _____

(6) 孩子的健康　更重要　对　自己的　父母　来说　比
  háizi de jiànkāng gèng zhòngyào duì zìjǐ de fùmǔ lái shuō bǐ

 → _____

3. 用"对……来说"改写下列句子，然后朗读。Rewrite the following sentences using "对……来说"
   and then read the new sentences aloud.

(1) 主考官 觉得 选出 最合适的人不是一件容易的事。
  Zhǔkǎoguān juéde xuǎnchū zuì héshì de rén bú shì yí jiàn róngyì de shì.

 → _____

(2) 男人 觉得 一边喝啤酒，一边看比赛，是很快乐的事。
  Nánrén juéde yìbiān hē píjiǔ, yìbiān kàn bǐsài, shì hěn kuàilè de shì.

 → _____

(3) 小丽觉得 明天的毕业典礼是结束，也是一个新的开始。
  Xiǎolì juéde míngtiān de bì yè diǎnlǐ shì jiéshù, yě shì yí ge xīn de kāishǐ.

 → _____

(4) 我觉得 家人的意见，尤其是爸爸的意见很 重要。
  Wǒ juéde jiārén de yìjiàn, yóuqí shì bàba de yìjiàn hěn zhòngyào.

 → _____

(5) 做 生意的时候，诚实比赚钱更 重要。
  Zuò shēngyi de shíhou, chéngshí bǐ zhuàn qián gèng zhòngyào.

 → _____

90

Zìrán huánjìng duì rénmen de fāzhǎn yǐngxiǎng hěn dà.
(6) 自然 环境 对 人们 的 发展 影响 很 大。

→ _____

三 听力练习 Listening Exercises

18-1

1. 听长对话，选择正确答案。Listen to the long dialogues and choose the right answers.

méi yìsi
(1) a. 没 意思

hěn kāixīn
b. 很 开心

hěn xìngfú
c. 很 幸福

duō kàn shū
(2) a. 多 看书

duō liǎojiě shíjì qíngkuàng
b. 多 了解 实际 情况

duō xiě wénzhāng
c. 多 写 文章

18-2

2. 听下面一段话，回答问题。Listen to the passage and answer the questions.

Zhōngguó rén xǐhuan nǎxiē shùzì? Wèi shénme?
(1) 中国 人喜欢 哪些 数字？为 什么？

Wèi shénme Měiguó rén bù xǐhuan zhège shùzì?
(2) 为 什么 美国 人 不 喜欢 "13" 这个 数字？

四 汉字练习 Exercises on Chinese Characters

1. 用下列汉字组词。Make words using the following characters.

主：_____、_____、_____、_____

用：_____、_____、_____、_____

18-3

2. 听写句子。Write down the sentences you hear.

(1) _____

(2) _____

五 交际练习 Communicative Exercise

根据提示词语完成对话。Complete the dialogues based on the hints given.

Tīngshuō nǐ xuéguo hěn duō wàiyǔ, nǐ   dōu
(1) A：听说 你 学过 很 多 外语，你_____（都）？

Chúle   yǐwài, wǒ hái
B：除了_____以外，我 还_____。

Nǐ juéde xuéxí yǔyán,   zhòngyào
A：你 觉得 学习 语言，_____（重要）？

duì…… lái shuō   hěn zhòngyào,
B：_____（对……来 说），_____很 重要，___

gèng zhòngyào
_____更 重要。

Nà   duì…… lái shuō   yīnggāi zěnme liǎojiě wénhuà ne?
A：那_____（对……来 说），应该 怎么 了解 文化 呢？

91

Jiànyì dàjiā
B：建议 大家＿＿＿＿＿＿＿＿＿＿＿＿＿＿＿＿＿＿（历史，习俗，博物馆）。

lìshǐ, xísú, bówùguǎn

(2) A：听说 你假期去 中国 旅游了，你＿＿＿＿＿＿＿＿＿＿＿＿（都）？
Tīngshuō nǐ jiàqī qù Zhōngguó lǚyóu le, nǐ dōu

Wǒ qùle hái qùle
B：我 去了＿＿＿＿＿＿＿＿＿＿＿，还去了＿＿＿＿＿＿＿＿＿＿＿。

Tǔlǔfān de jǐngsè zěnmeyàng?
A：吐鲁番的景色 怎么样？

Jǐngsè hěn měi, qù lǚyóu de rén yě hěn duō.
B：景色很美，去旅游的人也很多。＿＿＿＿＿＿＿＿＿＿＿（对……来说），

duì…… lái shuō

tāmen de shōurù kào
他们 的 收入＿＿＿＿＿＿＿＿＿＿＿（靠）。

Zhōngguó de xībù shì bu shì qìhòu hěn gānhàn?
A：中国 的 西部是不是 气候 很 干旱？

Shì de, duì…… lái shuō shuǐ zhēnxī
B：是的，＿＿＿＿＿＿＿＿＿＿＿（对……来说），水＿＿＿＿＿＿＿＿＿＿＿（珍稀），

suǒyǐ xiūjiànle hěn duō shuǐjiào.
所以 修建了 很多 水窖。

六 语篇练习 Textual Exercise

参照下表，说说对你的家人来说什么最重要，为什么，然后写下来，注意用上"对……来说"。
（写 8—10 句话）Look at the form below and talk about the most important thing for each of your family members and why. Then write a paragraph about it. Remember to use"对……来说". (Write 8-10 sentences)

谁	什么最重要	为什么	现在做什么
1. 爷爷	身体健康	去年生病住院了，现在身体还不太好。	每天都出去活动，休闲活动丰富多彩。
2. 爸爸			
3. 妈妈			
4. "我"			

Wǒ yéye qùnián shēng bìng zhù yuàn le, xiànzài shēntǐ suǒyǐ duì wǒ yéye lái shuō, shēntǐ
我爷爷去年 生 病住 院了，现在身体＿＿＿＿＿，所以对我爷爷来 说，身体

jiànkāng zuì zhòngyào. Xiànzài tā měi tiān dōu
健康 最 重要。现在他每天都＿＿＿＿＿＿＿＿＿＿＿＿＿＿＿＿＿＿＿。

＿＿＿＿＿＿＿＿＿＿＿＿＿＿＿＿＿＿＿＿＿＿＿＿＿＿＿＿＿＿

＿＿＿＿＿＿＿＿＿＿＿＿＿＿＿＿＿＿＿＿＿＿＿＿＿＿＿＿＿＿

＿＿＿＿＿＿＿＿＿＿＿＿＿＿＿＿＿＿＿＿＿＿＿＿＿＿＿＿＿＿

＿＿＿＿＿＿＿＿＿＿＿＿＿＿＿＿＿＿＿＿＿＿＿＿＿＿＿＿＿＿

Sīchóu zhī lù

丝绸之路

Silk Road

一 词汇练习 Vocabulary Exercises

1. 根据丝绸之路的图片，选择相应的词语。Look at the picture of the Silk Road and put the words in the right positions.

a. 茶叶　　　b. 瓷器　　　c. 丝绸　　　d. 西安　　　e. 欧洲　　　f. 非洲

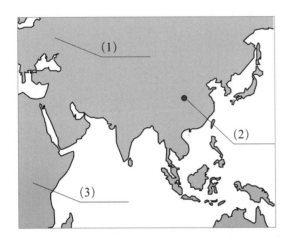

2. 选词填空并朗读。Choose a word to fill in each blank and then read the sentences aloud.

> màoyì　　shēngyi
> a. 贸易　　b. 生意

Hàncháo shí, Zhōngguó rén jiù yǐjīng kāishǐ gēn wàiguó rén zuò ___ le.
(1) 汉朝 时，中国 人就 已经 开始 跟 外国人 做_____了。

Zhōng-Měi ___ jiāoliú cùjìnle liǎng ge guójiā de jīngjì fāzhǎn.
(2) 中美 _____交流 促进了 两 个 国家 的 经济 发展。

> wùpǐn　　huòwù
> a. 物品　　b. 货物

Ālǐ rènwéi, shuǐ、dìtú、shǒujī shì lǚxíng shí bìxū yào dài de ___.
(3) 阿里 认为，水、地图、手机 是 旅行 时 必须 要 带 的_____。

Nà pī ___ hái méi sòngdào, chāoshì de jīnglǐ shífēn zháojí.
(4) 那批_____还 没 送到，超市 的 经理 十分 着急。

> yùnsòng　　sòng
> a. 运送　　b. 送

Huìyì jiéshù hòu, yóu Lǎo Zhāng kāi chē bǎ dàjiā ___ dào jīchǎng.
(5) 会议 结束 后，由 老 张 开 车 把 大家_____到 机场。

Nà liàng ___ huòwù de chē yǐjīng cóng gōngchǎng chūfā le.
(6) 那 辆_____货物 的 车 已经 从 工厂 出发 了。

3. 根据图片选择相应的词语。Choose the corresponding word for each picture.

a. 歌星　　　　b. 上帝　　　　c. 爱人　　　　d. 演唱会　　　　e. 资料　　　　f. 屏幕

(1) _____　　(2) _____　　(3) _____　　(4) _____　　(5) _____　　(6) _____

4. 选词填空并朗读。Choose a word to fill in each blank and read the sentences aloud.

> shāngrén　　yánzhe　　láiláiwǎngwǎng　　chuán　　gǎi　　suǒyǒu
> a. 商人　　b. 沿着　　c. 来来往往　　d. 传　　e. 改　　f. 所有

(1) Wǒ zuò zài kāfēitīng li, kànzhe lù shang _____ de qìchē.
我 坐 在 咖啡厅 里，看着 路 上 _____ 的 汽车。

(2) Wáng mìshū, míngtiān de huìyì _____ wéi xiàwǔ sān diǎn, qǐng nǐ tōngzhī dàjiā.
王 秘书，明天 的 会议 _____ 为 下午 三点，请 你 通知 大家。

(3) Zài gǔdài, yǒu hěn duō cháyè _____ zài zhèli zuò shēngyi.
在 古代，有 很 多 茶叶 _____ 在 这里 做 生意。

(4) Wǒ yǐjīng bǎ _____ de zīliào dōu zhǔnbèi hǎo le.
我 已经 把 _____ 的 资料 都 准备 好 了。

(5) Zhōngguó de hěn duō wùpǐn dōu shì tōngguò sīchóu zhī lù _____ dào Xīfāng de.
中国 的 很 多 物品 都 是 通过 丝绸之路 _____ 到 西方 的。

(6) Nǐ _____ zhè tiáo lù yìzhí zǒu, jiù néng kànjiàn nàge fànguǎnr le.
你 _____ 这 条 路 一直 走，就 能 看见 那个 饭馆儿 了。

二 语法练习　Grammar Exercises

1. 选词填空并朗读。Choose a word to fill in each blank and read the sentences aloud.

> chēngwéi　　niànwéi　　xuǎnwéi　　gǎibiān wéi　　shìwéi　　biànwéi
> a. 称为　　b. 念为　　c. 选为　　d. 改编 为　　e. 视为　　f. 变为

(1) Hěn duō rén méi dào yuèdǐ jiù bǎ qián huāguāng le, dàjiā bǎ zhè zhǒng xiànxiàng "yuèguāng".
很 多 人 没 到 月底 就 把 钱 花光 了，大家 把 这 种 现象 _____ "月光"。

(2) Wǒmen yīnggāi bǎ dìqiú _____ mǔqīn, yìqǐ bǎohù tā.
我们 应该 把 地球 _____ 母亲，一起 保护 她。

(3) Nàge háizi tōngguò nǔlì xuéxí, zhōngyú bǎ mèngxiǎng _____ xiànshí.
那个 孩子 通过 努力 学习，终于 把 梦想 _____ 现实。

(4) Wǒmen kěyǐ bǎ "2" _____ "èr" huò "liǎng".
我们 可以 把 "2" _____ "二" 或 "两"。

(5) Guānzhòng bǎ tā _____ dàxuéshēng diànyǐngjié de yōuxiù dǎoyǎn.
观众 把 他 _____ 大学生 电影节 的 优秀 导演。

(6) Dàjiā zhèngzài yánjiū zěnme bǎ zhè běn xiǎoshuō _____ diànyǐng.
大家 正在 研究 怎么 把 这 本 小说 _____ 电影。

94

2. 把"几乎"填到句中合适的位置，然后朗读。Choose the right positions for "几乎" and then read the sentences aloud.

(1) 他的变化 ___a___ 很大， ___b___ 我 ___c___ 认不出了。
    Tā de biànhuà   hěn dà,   wǒ   rèn bu chū le.

(2) 那场 讲座 ___a___ 我 ___b___ 连一个字 ___c___ 都没 听懂。
    Nà chǎng jiǎngzuò   wǒ   lián yí ge zì   dōu méi tīngdǒng.

(3) 我 ___a___ 是最后 ___b___ 一个 ___c___ 知道那个消息的人。
    Wǒ   shì zuìhòu   yí ge   zhīdào nàge xiāoxi de rén.

(4) 那是 ___a___ 一项 ___b___ 不可能 完成 的任务，可是 ___c___ 他却顺利 完成 了。
    Nà shì   yí xiàng   bù kěnéng wánchéng de rènwu,   kěshì   tā què shùnlì wánchéng le.

(5) 我 ___a___ 要 ___b___ 放弃的时候，王 教授 ___c___ 鼓励我要坚持 (to uphold)。
    Wǒ   yào   fàngqì de shíhou, Wáng jiàoshòu   gǔlì wǒ yào jiānchí.

(6) ___a___ 大学 同学 的名字我 ___b___ 都已经 忘了 ___c___ 。
    dàxué tóngxué de míngzi wǒ   dōu yǐjīng wàng le

3. 根据提示词语完成句子，然后朗读。Complete the sentences based on the hints given and then read the sentences aloud.

(1) 人们 _____
    Rénmen

    _____（把＋X＋v.＋为＋Y，孔子的思想，儒家思想）。
    bǎ   wéi   Kǒngzǐ de sīxiǎng, Rújiā sīxiǎng

(2) 汉语里，可以_____（把＋X＋v.＋为＋Y，为，为）。
    Hànyǔ li, kěyǐ   bǎ   wéi   wèi, wéi

(3) 很多父母都_____
    Hěn duō fùmǔ dōu

    _____（把＋X＋v.＋为＋Y，孩子，家庭 中心）。
    bǎ   wéi   háizi, jiātíng zhōngxīn

(4) 雨下得太大了，_____（几乎，看，清楚）。
    Yǔ xià de tài dà le,   jīhū, kàn, qīngchu

(5) 林秘书很忙，_____（几乎，休息）。
    Lín mìshū hěn máng,   jīhū, xiūxi

(6) 今年 冬天 冷极了，_____（几乎，天天，雪）。
    Jīnnián dōngtiān lěng jí le,   jīhū, tiāntiān, xuě

三 听力练习　Listening Exercises

1. 听长对话，选择正确答案。Listen to the long dialogues and choose the right answers.

19-1

(1) a. 不认识　　　　　b. 认识　　　　　c. 不知道
    bú rènshi   rènshi   bù zhīdào

(2) a. 两 点，第三会议室　　b. 三点，第一会议室　　c. 两 点，第一会议室
    liǎng diǎn, dì-sān huìyìshì   sān diǎn, dì-yī huìyìshì   liǎng diǎn, dì-yī huìyìshì

2. 听下面一段话，回答问题。Listen to the passage and answer the questions.

19-2

(1) 什么 是"八零后""九零后"？
    Shénme shì "bā líng hòu" "jiǔ líng hòu"?

(2) "八零后"和"九零后"有什么 特点？
    "Bā líng hòu" hé "jiǔ líng hòu" yǒu shénme tèdiǎn?

汉字练习 Exercises on Chinese Characters

1. 根据拼音写出正确的汉字，然后朗读。Write down the right characters based on the *pinyin*, and then read the sentences aloud.

(màoyì)   (máoyī)
(1) 这家_____公司主要是向全世界出口_____。

(piān)   (biàn)
(2) 这_____文章写得真精彩，我已经看了三_____了。

2. 听写句子。Write down the sentences you hear.

19-3

(1) _____

(2) _____

五 交际练习 Communicative Exercises

询问你的同学或朋友下列问题，用"把 + X + v. + 为 + Y"或"几乎"回答。Ask a classmate or friend the following questions and they should answer them with"把 + X + v. + 为 + Y"or"几乎".

Shénme shì "dìqiú yì xiǎoshí"?
(1) 什么 是"地球 一 小时"?

→ _____

Nǐ zhīdào "Mǔqīn Jié" shì nǎ yì tiān ma?
(2) 你 知道"母亲节"是 哪 一 天 吗?

→ _____

Nǐ shēnbiān de rén, shéi suàn shì "zhōngguótōng"?
(3) 你 身边 的 人，谁 算 是"中国通"?

→ _____

Nǐ zuì xǐhuan zuò shénme? Duō cháng shíjiān zuò yí cì?
(4) 你 最喜欢做 什么? 多 长 时间 做一 次?

→ _____

Nǐ xuéguo de shēngcí hé Hànzì, hái dōu jìde ma?
(5) 你 学过 的 生词 和 汉字，还 都 记得 吗?

→ _____

Nǐ hái jìde zuì máng de yì tiān ma? Mángle duō cháng shíjiān?
(6) 你 还 记得 最 忙 的 一 天 吗? 忙了 多 长 时间?

→ _____

96

1. 把下列选项按照合适的顺序排列起来，然后朗读。Put the following items in order and then read the paragraph aloud.

    dōng dào dàhǎi
a. 东　到大海

    suǒyǐ rénmen bǎ tā chēngwéi "mǔqīn hé"
b. 所以人们把它 称为 "母亲河"

    Huáng Hé shì Zhōngguó dì-èr tiáo cháng hé
c. 黄　河是 中国 第二条 长 河

    zhōngjiān jīngguò hěn duō shěng shì
d. 中间　经过很多 省 市

    tā xī qǐ Qīng-Zàng Gāoyuán
e. 它西起 青藏　高原

    yīnwèi Huáng Hé duì Zhōngguó de nóngyè chǎnshēngle shēnyuǎn de yǐngxiǎng
f. 因为 黄 河对 中国 的农业 产生了　深远 的 影响

_____

2. 假设你是一家餐厅经理，要负责一个公司的宴会。服务员已经做好了一份方案，请你修改，注意用上 "把 + X + v. + 为 + Y"。Suppose you are a restaurant manager arranging a banquet for a company. A plan has already been made by the waiters. What you have to do is to improve it. Remember to use "把 + X + v. + 为 + Y".

Gōngsī de xūqiú:　　rén cānjiā,　　rén shì sùshízhě,　　rén zhōu liù méi kòngr,　　dà bùfen rén dōu kāi chē.
公司 的 需求：8人 参加，4人 是 素食者，2人 周 六 没 空儿，大 部分 人 都 开 车。

Fúwùyuán de yànhuì fāng'àn:
服务员 的 宴会方案：

Yànhuì shíjiān:　Xīngqīliù,　zhōngwǔ
宴会 时间：星期六，中午 12:00。

---

càidān
菜单

liáng cài:　　　　　　　　　　　　　　　tāng:
凉 菜：　　　　　　　　　　　　　　　**汤：**

táng bàn　　　xīhóngshì　　　　　　　yútāng
1. 糖 拌（to mix）西红柿　　　　　　　鱼汤
liáng bàn huángguā
2. 凉 拌 黄瓜

rè cài:　　　　　　　　　　　　　　　　diǎnxin:
热 菜：　　　　　　　　　　　　　　　**点心：**
xīhóngshì niúròu　　　　　　　　　　　qiǎokèlì dàngāo
1. 西红柿 牛肉　　　　　　　　　　　　巧克力 蛋糕
nǎilào yángròu
2. 奶酪 羊肉
zháyú　　　　　　　　　　　　　　　　yǐnliào:
3. 炸鱼　　　　　　　　　　　　　　　　**饮料：**
huángguā jīdàn　　　　　　　　　　　pútaojiǔ
4. 黄瓜 鸡蛋　　　　　　　　　　　　　1. 葡萄酒
　　　　　　　　　　　　　　　　　　　píjiǔ
　　　　　　　　　　　　　　　　　　　2. 啤酒
　　　　　　　　　　　　　　　　　　　kāfēi
　　　　　　　　　　　　　　　　　　　3. 咖啡

Yànhuì shíjiān Xīngqīliù bù héshì   yīnwèi yǒu rén Xīngqīliù méi kòngr.
宴会 时间 星期六 不 合适 (appropriate)，因为 有 2 人 星期六 没 空儿。_____

Xīngqīrì Rè cài zhōng   bù héshì, yīnwèi
_____。（星期日）热 菜 中 _____不 合适，因为

yǒu rén shì sùshízhě.   xīhóngshì chǎo jīdàn
有 4 人 是 素食者。_____。（西红柿 炒 鸡蛋）_____

_____

_____

Hànyǔ   hé   Tángrénjiē
汉语和唐人街
Chinese language and Chinatowns

一 词汇练习 Vocabulary Exercises

1. 选词填空并朗读。Choose a word to fill in each blank and then read the sentences aloud.

shíqī	shíjiān
a. 时期	b. 时间

Wǒ zài dàxué   cānjiāguo bù shǎo huódòng,   rènshile bù shǎo péngyou.
(1) 我 在 大学_____，参加过 不 少 活动，认识了 不 少 朋友。

Wáng mìshū shēngwán háizi yǐhòu,   xiūxile yí duàn
(2) 王 秘书 生完 孩子 以后，休息了 一 段_____。

xiūjiàn	jiànlì
a. 修建	b. 建立

Liǎng guó zhèngfǔ juédìng hézuò   yì tiáo tiělù.
(3) 两 国 政府 决定 合作_____一 条 铁路。

Qínshǐhuáng   le Zhōngguó lìshǐ shang dì-yī ge tǒngyī de guójiā.
(4) 秦始皇_____了 中国 历史 上 第一个 统一 的 国家。

fāyīn	yīnjié
a. 发音	b. 音节

Hànyǔ dàdōu shì yí ge zì yí ge
(5) 汉语 大都 是 一 个 字 一 个_____。

Zài wǒmen bān, Dàwèi de   zuì hǎo, chàbuduō gēn Zhōngguó rén yíyàng.
(6) 在 我们 班，大卫 的_____最 好，差不多 跟 中国 人一样。

2. 连线并朗读。Match and read aloud.

(1) 来自   生活

(2) 统一   国外

(3) 自称   国家

(4) 从事   中国通

(5) 热爱   很多人

(6) 聚集   教育工作

3. 选词填空并朗读。Choose a word to fill in each blank and then read the sentences aloud.

yīncǐ	zǔxiān	hánlěng	yíbàn	lìrú	qiúduì
a. 因此	b. 祖先	c. 寒冷	d. 一半	e. 例如	f. 球队

Nǐ zhīdào Zhōngguó rén de   shì shéi ma?
(1) 你 知道 中国 人 的_____是 谁 吗？

Zhè tiáo màoyì zhī lù yùnsòngguo hěn duō sīchóu,　　　bèi mìngmíng wéi "sīchóu zhī lù".
(2) 这 条 贸易 之 路 运送过 很 多 丝绸，_____被 命名 为 "丝绸之路"。

Ānni zuì xǐhuan de shì Yìdàlì duì, yīnwèi duìyuán gègè dōu hěn shuài.
(3) 安妮 最 喜欢 的 _____ 是 意大利队，因为 队员 个个 都 很 帅。

Sīchóu zhī lù shang yùnsòngguo hěn duō huòwù, sīchóu、 cháyè、 cíqì děng.
(4) 丝绸 之 路 上 运送过 很 多 货物，_____丝绸、茶叶、瓷器 等。

Zhè tiáo qúnzi huāle Dīng xiǎojiě de gōngzī.
(5) 这 条 裙子 花了 丁 小姐 _____ 的 工资。

Nánjí shì shìjiè shang zuì de dìfang zhī yī.
(6) 南极 是 世界 上 最_____的 地方 之一。

4. 根据表格，选择相应的信息填空。 Complete the form below with the information given.

Qínguó
a. 秦国

Hànrén、 Hànyǔ hé Hànzì
b. 汉人、汉语和汉字

Tángcháo
c. 唐朝

Yán-Huáng zǐsūn
d. 炎黄 子孙

"Zhōngguó" de Yīngwén fāyīn
e. "中国" 的 英文 发音

Tángrén hé Tángrénjiē
f. 唐人 和 唐人街

4000 多年前	炎帝和黄帝	_____
春秋战国时期	_____	_____
公元前 206 年	汉朝	_____
公元 618 年		_____

二 语法练习　Grammar Exercises

1. 用 "来自" 改写下列句子，然后朗读。 Rewrite the following sentences using "来自" and then read the new sentences aloud.

Zhèxiē shāngrén yíbàn dōu shì cóng Ōuzhōu lái de.
(1) 这些 商人 一半 都 是 从 欧洲 来 的。

→ _____

Tā àiren de jiāxiāng shì Shànghǎi.
(2) 他 爱人 的 家乡 是 上海。

→ _____

Shuǐjiào zhōng de shuǐ shì dìxià shōují de yǔshuǐ.
(3) 水窖 中 的 水 是 地下 收集 的 雨水。

→ _____

Zhè suǒ dàxué de xuésheng shì cóng quán guó gè dì lái de.
(4) 这 所 大学 的 学生 是 从 全 国 各 地 来 的。

→ _____

Wǒ de xiǎngfǎ shì gēnjù zìjǐ de shēnghuó jīngyàn tíchū de.
(5) 我 的 想法 是 根据 自己 的 生活 经验 提出 的。

→ _____

Cóng kuàguó gōngsī lái de zhǔkǎoguān rènwéi, xìxīn cái shì zuì hǎo de nénglì.
(6) 从 跨国公司来的 主考官 认为，细心才是最好的能力。

→ _____

2. 把"所"填到句中合适的位置，然后朗读。Choose the right positions for "所" and then read the sentences aloud.

Liú Bāng jiànlì de guójiā bèi chēngwéi Hàncháo.
(1) 刘 邦 ___a___ 建立的国家 ___b___ 被 ___c___ 称为 汉朝。

Zhè wèi lǎorén yào zuò de shì yí ge fùzá de shǒushù.
(2) 这位老人 ___a___ 要 ___b___ 做的 ___c___ 是一个复杂的 手术。

Bàba shuō, tā dānxīn de shì yéye de shēntǐ.
(3) 爸爸 说，他 ___a___ 担心的 ___b___ 是 ___c___ 爷爷的身体。

Xiǎolì gāngcái shuō de dōu shì xīnli huà, nǐ yīnggāi xiāngxìn tā.
(4) 小丽 刚才 ___a___ 说的都 ___b___ 是心里话，你应该 ___c___ 相信 她。

Xuézhǎng ràng wǒ gàosu dàjiā, xià xuéqī zēngjiā de kèchéng dōu bú suàn nán.
(5) 学长 ___a___ 让我告诉大家，下学期 ___b___ 增加的 课程 都不 ___c___ 算 难。

Wǒ xǐhuan lǚyóu, dàn zhùyì de bùjǐn shì fēngjǐng, hái yǒu xísú hé wénhuà.
(6) 我喜欢旅游，但 ___a___ 注意的不仅 ___b___ 是风景， ___c___ 还有习俗和 文化。

3. 用下列词语组句，然后朗读。Make sentences using the following words/phrases and then read the sentences aloud.

Zhànguó shíqī suǒ shuō de "Qín" de fāyīn láizì wǒmen
(1) 战国 时期 所说的"China" "秦"的发音 来自 我们

→ _____

dà bùfen Tángrénjiē li Zhōngguó suǒ jùjí de rén láizì
(2) 大 部分 唐人街 里 中国 所聚集的人 来自

→ _____

láizì suǒ shuō de nǐ jīntiān nǎ fèn bàozhǐ xīnwén
(3) 来自 所说的 你今天 哪份报纸 新闻

→ _____

shì yí wèi Xīnjiāng de gēxīng suǒ xǐhuan de láizì tā
(4) 是一位 新疆的歌星 所喜欢的 来自 他

→ _____

suǒ yùnsòng de zhèxiē shāngrén láizì shì Zhōngguó de sīchóu
(5) 所运送的 这些 商人 来自 是 中国 的丝绸

→ _____

suǒ xūyào de xìnxī tā chábiànle cái zhǎodào láizì huìyì de zīliào
(6) 所需要的信息 他查遍了 才找到 来自 会议的资料

→ _____

听力练习 Listening Exercises

1. 听长对话，选择正确答案。 Listen to the long dialogues and choose the right answers.

20-1

(1) a. 听得懂   tīng de dǒng
b. 听不懂   tīng bu dǒng
c. 不知道   bù zhīdào

(1) a. 听得懂   b. 听不懂   c. 不知道

(2) a. 主持人   zhǔchírén
b. 观众   guānzhòng
c. 家人   jiārén

(2) a. 主持人   b. 观众   c. 家人

2. 听下面一段话，回答问题。 Listen to the passage and answer the questions.

20-2

Wèi shénme Xiǎo Lǐ de qián zǒngshì bú gòu huā?
(1) 为什么小李的钱总是不够花？

Wèi shénme Xiǎo Lǐ hé péngyou dōu hěn gāoxìng?
(2) 为什么小李和朋友都很高兴？

四 汉字练习 Exercises on Chinese Characters

1. 用下列汉字组词。 Make words using the following characters.

自：_____、_____、_____、_____

公：_____、_____、_____、_____

2. 听写句子。 Write down the sentences you hear.

20-3

(1) _____

(2) _____

五 交际练习 Communicative Exercise

根据提示词语完成对话。 Complete the dialogues based on the hints given.

(1) Zhǔkǎoguān: Nǐ hǎo, qǐng xiān
主考官：你好，请先_____（介绍 jièshào）。

Bìyèshēng: Nín hǎo, wǒ jiào
毕业生：您好，我叫_____，_____（来自 láizì），

shì yì míng gāng bì yè de dàxuéshēng.
是一名刚毕业的大学生。

Zhǔkǎoguān: Wǒmen gōngsī
主考官：我们公司_____（所 suǒ + v. + 的 de）。

Bìyèshēng: Wǒ zài shàng dàxué de shíhou, jiù
毕业生：我在上大学的时候，就_____。

Zhǔkǎoguān: Nǐ de xiāoshòu nénglì zěnmeyàng?
主考官：你的销售能力怎么样？

Bìyèshēng: Wǒ zǒngshì néng
毕业生：我总是能_____（需求 xūqiú），并帮他们_____

xuǎnzé
_____（选择 xuǎnzé）。

(2) A: Zuótiān wǎnshang nǐ qù kàn wénhuà yǎnchū le ma?
　　昨天　晚上　你去看 文化 演出 了 吗？

B: Méiyǒu, wǒ＿＿＿＿＿＿＿＿＿＿＿（看 电影）。kàn diànyǐng Jiémù zěnmeyàng?
　　没有，我＿＿＿＿＿＿＿＿＿＿＿（看 电影）。节目 怎么样？

A: Fēicháng jīngcǎi, tāmen＿＿＿＿＿＿＿＿＿＿＿（所＋v.＋的）suǒ de dōu shì Zhōngguó chuántǒng yìshù.
　　非常 精彩，他们＿＿＿＿＿＿＿＿＿＿＿（所＋v.＋的）都是 中国 传统 艺术。

B: Dōu yǒu nǎxiē yìshùjiā yǎnchū?
　　都有 哪些 艺术家 演出？

A: Méiyǒu yìshùjiā, yǎnyuán dōu shì＿＿＿＿＿＿＿＿＿＿＿（来自）。láizì
　　没有 艺术家，演员 都是＿＿＿＿＿＿＿＿＿＿＿（来自）。

B: Zhēn méi xiǎngdào tāmen yě zhème rè'ài Zhōngguó chuántǒng yìshù.
　　真 没 想到 他们 也 这么 热爱 中国 传统 艺术。

六 语篇练习　Textual Exercise

参照下表，说说你收到的一件最喜欢的礼物，并写下来，注意用上"来自"和"所＋v.＋的"。（写8—10句话）Look at the form below and talk about your favorite present you've ever received. Write a paragraph about it. Remember to use "来自" and "所＋v.＋的". (Write 8-10 sentences.)

最喜欢的一件礼物	
这件礼物来自……	
什么时候收到的	
喜欢的原因	
礼物的意义	
对自己的影响	

Wǒ zuì xǐhuan de yí jiàn lǐwù shì
我 最喜欢 的 一件 礼物 是＿＿＿＿＿＿。＿＿＿＿＿＿＿＿＿＿＿＿

＿＿＿＿＿＿＿＿＿＿＿＿＿＿＿＿＿＿＿＿＿＿＿＿＿＿＿＿＿＿

＿＿＿＿＿＿＿＿＿＿＿＿＿＿＿＿＿＿＿＿＿＿＿＿＿＿＿＿＿＿

＿＿＿＿＿＿＿＿＿＿＿＿＿＿＿＿＿＿＿＿＿＿＿＿＿＿＿＿＿＿

＿＿＿＿＿＿＿＿＿＿＿＿＿＿＿＿＿＿＿＿＿＿＿＿＿＿＿＿＿＿

录音文本
Listening Scripts

第1课 孔子

01-1 1.（1）女：王经理，请问我们什么时候可以进去参观工厂？

男：方小姐，您请坐，喝点儿水，一会儿让常秘书带您去参观。

一会儿谁带女的去参观工厂？

（2）女：听说汽车的颜色对行车安全有很大影响。

男：当然，但最重要的还是良好的开车习惯。

对行车安全产生最大影响的是什么？

01-2 2.（1）男：你在做什么呢？

女：我在看一本由成教授翻译的外国小说。

男：成教授是我大学时的老师，他翻译过很多作品。

女：这本小说翻译得真好，语言很幽默。

谁翻译的这本小说？

（2）女：张力，我们的产品找哪家广告公司做广告比较好？

男：做广告需要很多钱，太浪费了。

女：可是广告会对观众产生影响，广告做得好，买产品的人就多。

男：那咱们选一家好一点儿的公司吧。

女的认为做广告对谁的影响最大？

01-3 2.（1）孔子是中国第一位在民间开办学校的人。

（2）妈妈对我的事业产生了很大影响。

第2课 手机短信

02-1 1.（1）男：你女儿长得越来越像你了。

女：是，不过她比我年轻的时候更漂亮。

谁更漂亮？

（2）女：通过努力，这个学期方方的数学成绩提高了很多。

男：谢谢您的帮助，方方说她非常喜欢上您的课。

女的最可能是谁？

02-2 2.（1）女：我们去商场买衣服吧。

男：你还要买衣服吗？你的衣服已经很多了，怎么还要买？

女：女人都想让自己越来越漂亮啊！

男：我觉得你现在就非常漂亮。

男的是什么意思？

（2）女：你在看什么书呢？

男：这不是书，是汉语词典。

女：我们出来玩儿，你怎么还带着词典？

男：通过查词典，我已经认识很多汉字了。

男的喜欢做什么？

2.（1）人们常常通过互相转发幽默短
02-3　　　　信，分享快乐。

　　（2）通过张经理的努力，公司的情况
　　　　越来越好。

 第3课　空马车

 1.（1）女：除了比萨饼以外，你还买了
03-1　　　　　什么？买面包了吗？
　　　　男：巧克力面包卖完了，我就买
　　　　　了点儿草莓蛋糕。
　　　　女的没买什么东西？

　　（2）男：你怎么越走越慢？快点儿走！
　　　　女：我越走越累，咱们找个地方
　　　　　休息一下吧。
　　　　女的现在想做什么？

2.（1）男：小美，以后你想做什么工作？
03-2　　　　女：我要做一个美食家。
　　　　男：好啊，你可以开着车去世界
　　　　　各地寻找美食。
　　　　女：对。除了美食家，我还可以
　　　　　当作家，把这些美食写成一
　　　　　本书。
　　　　女的可能不想做什么工作？

　　（2）女：请问，你们宾馆可以免费上
　　　　　网吗？
　　　　男：可以。在大堂，除了上网以
　　　　　外，还可以复印。
　　　　女：复印怎么收费？多少钱一张？
　　　　男：一块，不过您复印得越多，
　　　　　就越便宜。
　　　　女的最可能是什么人？

 2.（1）马车越空，噪声就越大。
03-3
　　（2）除了音乐以外，我还喜欢书法。

 第4课　海洋馆的广告

 1.（1）男：小丽，你眼看就要30岁了，
04-1　　　　　怎么还不找男朋友啊？
　　　　女：不着急，喜欢我的人和我喜
　　　　　欢的人一定会出现的。
　　　　关于小丽，我们知道什么？

　　（2）女：小双，这几天我怎么没见到
　　　　　林木，他在学校吗？
　　　　男：我也在到处找他，可是没找到。
　　　　他们在说什么事？

 2.（1）女：眼看都9点半了，你怎么还
04-2　　　　　不起床？
　　　　男：今天是星期天，也不上班，
　　　　　你让我多睡一会儿吧。
　　　　女：你昨天说今天陪孩子去海洋
　　　　　馆，你忘了吗？
　　　　男：我以为你们想下午去呢。
　　　　男的想做什么？

　　（2）女：我们去哪儿旅游比较好？
　　　　男：当然是去南方，现在南方的
　　　　　风景很漂亮。
　　　　女：大家都想去南方，那里肯定
　　　　　到处都是人。
　　　　男：那我去打听一下，看看什么
　　　　　地方风景又好人又少。
　　　　现在南方怎么样？

 2.（1）王经理到处征求好点子。
04-3
　　（2）眼看就要考试了，我得好好儿复
　　　　习复习。

 第5课　筷子

 1.（1）男：小方，你能帮我把这几份文
05-1　　　　　件复印一下吗？

105

女：行，我正准备去把咱们比赛的照片洗出来。

男的想让女的做什么？

（2）男：今天做的蛋糕真好吃，跟昨天做的不一样。

女：我是按照电视节目上教的方法做的。

女的今天用了什么方法做蛋糕？

2.（1）男：你一个人在房间里做什么呢？在看书吗？

05-2

女：我在写文章呢。

男：还没写出来吗？

女：已经一个小时了，我只写出来一句话。

女的在做什么？

（2）女：小东，毕业以后你打算读研究生还是找工作？

男：我想按照自己的想法，一个人去旅行。

女：为什么要去旅行？

男：我的生活经历太少了，所以想看看外边的世界。

毕业以后男的要做什么？

2.（1）用筷子吃肉，既方便又不烫手。

05-3

（2）按照这个方法做饭，很容易。

第6课 慢生活

1.（1）男：老师，中国人都说汉语，他们都是汉族，对吗？

06-1

女：中国是个多民族国家，不只有汉族，还有很多民族，他们不都说汉语。

关于中国，我们可以知道什么？

（2）女：你觉得我们国家应该举办奥运会吗？

男：奥运会不只能给举办的国家做广告，还对经济发展有很好的影响。

男的的看法是什么？

2.（1）男：你觉得这家公司怎么样？

06-2

女：这家公司的工资很高，可是工作压力也很大。

男：你说的对，我对这份工作不太感兴趣。

女：我觉得你应该选一个自己喜欢的工作。

女的建议男的应该做什么工作？

（2）男：听说你和丈夫又吵架了？

女：他总是把房间弄得乱七八糟的。

男：那你也应该改变态度，吵架不只会破坏夫妻之间的情感，还会对孩子产生不好的影响。

女：好吧，下次我跟他好好儿说说。

女的怎么了？

2.（1）生活不只有快节奏，还需要慢节奏。

06-3

（2）你应该找一个诚实可靠的人帮你。

第7课 剪裤子

1.（1）女：休息休息吧，你已经忙了一个星期了，太辛苦了。

07-1

男：为了快点儿完成这项实验，辛苦点儿没关系。

男的为什么那么辛苦？

（2）女：小刚、大明，你们怎么这么高兴？

男：一聊起球，我们就特别兴奋。我们打算一会儿就去踢一场比赛。

小刚和大明有什么爱好？

2.（1）女：大华，寒假去哪儿玩儿了？

07-2

男：我没出去，一直在家。

女：寒假有一个多月，你怎么没出去玩儿？

男：为了参加研究生考试，我天天在家看书、听录音、做题。

男的为什么没出去玩儿？

（2）女：老同学，你回来了？在国外习惯吗？

男：说起国外的生活，真是非常精彩。我去了很多地方旅行，在巴黎还见到了阿丽，她还问起你了。

女：阿丽？！我和她已经快十年没见了。她怎么样？

男：她现在是一家汽车销售公司的经理。

什么事非常精彩？

2.（1）小东说起这件事，大家都没说话。

07-3

（2）为了释放工作压力，他周末常去爬山。

第8课　吐鲁番

1.（1）男：中国有四座城市，因为夏天的时候特别热，被称为四大火炉。

08-1

女：那这些城市冬天冷不冷呢？

根据对话，我们可以知道什么？

（2）男：你还记得我们第一次见面吗？

女：当然记得，我们第一次见面的时候，你送了我一束花儿，很浪漫。

女的觉得他们的第一次见面怎么样？

2.（1）女：你现在在哪儿工作？

08-2

男：我在甲骨文公司工作。

女：中国古代的文字被称为甲骨文吧？你们是研究文字的吗？

男：不是，这是一家美国公司，是世界上最大的软件公司。

关于甲骨文公司，我们可以知道什么？

（2）男：昨天我送给方方生日礼物，她也没打开看看，真奇怪。

女：中国人收到礼物的时候，一般是先不会打开看的，而是表达一下感激。

男：不当面打开，怎么告诉对方是不是喜欢这个礼物呢？

女：我们不打开看礼物，是为了表示我们更重视情谊，而不是礼物。

中国人为什么不当面打开礼物？

2.（1）我们把这种慢节奏的生活称为慢生活。

08-3

（2）当我回家的时候，我发现一个小男孩儿老跟着我。

第9课　坐电梯

1.（1）男：安妮，今天晚上的电影很好看，你去不去？

09-1

女：今天的作业很多。除非下午

能做完，我才去看电影。

从对话中我们可以知道什么？

（2）男：听说那个导游带着客人去商店的时间很长，看景点的时间很短，你为什么还坚持要去？

女：没关系，我只看风景，不购物。

女的想去那个地方做什么？

2.（1）男：阿月，你有什么梦想？

女：我只想做一名图书馆员。

男：为什么？图书馆里只有书，也不能说话。

女：我不喜欢跟别人交流，只想每天跟书在一起。

女的为什么想做图书馆员？

（2）女：师傅，您能不能开快一点儿啊？

男：您看，路上有这么多车，怎么能开得快呢？

女：那怎么办啊，我约会要迟到了。

男：怎么办，除非你飞过去，才不会迟到。

男的的话是什么意思？

2.（1）除非你比我先到8层，我才去。

（2）我只想在一个安静的地方看一会儿书。

第10课　有趣的谐音词

1.（1）男：昨天的节目怎么样？

女：他们的表演使我感到很惊讶，我真想再看一次。

关于女的，我们可以知道什么？

（2）男：明天就要演讲比赛了，我感到很紧张。

女：演讲的时候，你一定要保持好心态，要做到冷静而自信。

关于男的，我们可以知道什么？

2.（1）男：小丽，这个假期你过得怎么样？

女：我过得充实而有意思。

男：你做什么了？

女：我去西班牙住了两个星期，还学了一点儿西班牙语。

从对话中我们可以知道什么？

（2）男：安妮，昨天你玩儿得怎么样？

女：太开心了！晚上回到家，发现朋友们在准备给我举办生日晚会。

男：你肯定很惊喜吧？

女：是啊，惊喜而开心。

关于安妮的生日晚会，我们可以知道什么？

2.（1）这里的生活使她感到很悠闲。

（2）她的问候总是温暖而及时。

第11课　海豚和鲨鱼

1.（1）男：小张，正朝咱们走过来的那个人叫什么名字？我忘了。

女：王经理，她叫周月，是五星汽车公司的销售经理。

男：我想起来了，去年跟她见过面。

女：对，她跟咱们公司合作过一次。

走过来的那个人是谁？

（2）女：您好，我买一张海洋馆的
　　　　门票。
　　　男：您的孩子也得买票。
　　　女：他还不到8岁，也要买票吗？
　　　男：按照我们的规定，只要是6
　　　　岁以上，就都得买票。
　　　按照海洋馆的规定，多大的孩子
　　　不用买票？

2. 欢迎大家选择我们公司的航班。如
11-2　果您需要帮助，只要摁一下红色的
　　　按钮，我们就会来到您身边，为您服
　　　务。如果您想看书，只要摁一下绿色
　　　的按钮，灯就打开了。如果您想听音
　　　乐，请戴上耳机，只要摁一下黑色的
　　　按钮，音乐就会开始。一会儿我们会
　　　为您送晚餐，请您稍等。谢谢！

2.（1）一条大鲨鱼朝他们游过来。
11-3
　　（2）只要坚持，就一定能成功。

第12课　什么也没做

1.（1）女：你知道吗？孩子进入决赛
12-1　　　了，没想到他们踢得那么好。
　　　男：是吗？太好了！我们应该出
　　　　去庆祝一下。
　　　女：明天吧，孩子太累了，连脸
　　　　都没洗就睡觉了。
　　　男：行，那让他好好儿休息一
　　　　下吧。
　　　孩子现在在做什么？

（2）男：周末我想带女儿去博物馆，
　　　　怎么样？
　　　女：她跟我说想去海洋馆。
　　　男：你们上个星期去过一次了
　　　　啊，怎么总是去海洋馆？

女：是去过很多次了，可是女儿
　　就是喜欢去看海豚表演。
女儿喜欢做什么？

2. 安妮是小阳的女朋友。恋爱的时候，
12-2　他们的关系非常好，总是一起逛街、
　　　看电影、吃饭。他们每天都要见面聊
　　　天儿，像有说不完的话。有一次，安
　　　妮跟妈妈逛街的时候，远远地看见小
　　　阳跟别的女生一起从电影院出来。她
　　　马上给小阳打了电话，跟他分手了。
　　　小阳想跟她解释一下，可是安妮连解
　　　释的机会都不给他，把手机关上了。
　　　安妮不知道，那个女生实际上是小阳
　　　的妹妹。

2.（1）妻子今天什么也没做，连碗都没
12-3　　　有洗。

　　（2）他跟别人说话的时候，总是很
　　　　谦虚。

第13课　老年人的休闲生活

1.（1）女：经理，我已经把大家的意见
13-1　　　都记下来了。
　　　男：大家对这个销售计划有什么
　　　　看法？
　　　女：有的同意这个计划，有的担
　　　　心完不成。
　　　男：请你把数字统计出来，我再
　　　　看看。
　　　从对话中我们可以知道什么？

（2）女：今天的话剧演得真精彩！
　　　男：你知道吗，这些人有的是化
　　　　学专业的，有的是音乐专业
　　　　的，有的是体育专业的。
　　　女：听说导演是学计算机的。

男：对，他们一边上大学，一边演话剧，虽然非常辛苦，但这是他们的爱好。

为什么说这些演话剧的人很辛苦？

 13-2　2.那些戴着红帽子、穿着白衬衫的就是老人院的义工。他们每天早上8点就来到老人院，有的帮老人打扫房间，有的陪老人聊天儿，有的给老人弹吉他。老人院的老人们都非常喜欢这些年轻人，他们把这些义工称作"小红帽"。跟"小红帽"在一起，这些老年人觉得自己也年轻了。

13-3　2.（1）他们有的打太极拳，有的唱京剧，有的练书法。

（2）老刘在办公室一边喝茶一边看报纸。

第14课 青藏铁路

14-1　1.（1）女：你上网查查这两天的天气。

男：怎么了？我看天气一直很好啊。

女：我听说明后天有台风，船可能停开了。

男：那我查一下，要是台风来了，我们就先不回上海了。

男的现在要做什么？

（2）男：方方，你和安安的关系怎么样？

女：她是我最好的朋友，像姐姐一样照顾我。

男：她一定很了解你吧？

女：是啊，有时候她甚至比我妈妈还了解我。

方方和安安是什么关系？

14-2　2.有一天，我告诉爸爸我的梦想是去中国留学。要是他不反对的话，我打算到北京去学汉语。他同意了我的想法，甚至觉得这个经历会是我今后生活的一笔财富。爸爸告诉我，要想学好汉语，就一定要用汉语说，用汉语想，用汉语写，甚至做梦都要说汉语。

14-3　2.（1）要是幸运的话，甚至可以看到珍稀的藏羚羊。

（2）要是你有时间的话，明天跟我去孤儿院做义工吧。

第15课 地球一小时

15-1　1.（1）女：老师，我想换课，不学这门课了。

男：为什么？

女：这门课要求的汉语水平太高了，我听不懂。

男：课可以换，可是教材不能退，因为你已经在上面写上名字了。

按照男的的意思，女的可以退什么？

（2）女：咱们买辆车吧！开车出门多方便。

男：好啊，买什么颜色的呢？

女：或者白色，或者银色，听说浅颜色的最安全。

男：红色、绿色和蓝色也不错。只要不买黑色的就行。

他们可能不买什么颜色的车？

15-2　2.最近几年，北京的路边出现了不少小公园。人们在这些小公园里种上花儿、种上树，使这座城市多了不少绿色。人们在这些小公园里或者休息，或者散步，或者跟朋友谈心，让快节奏的生活慢了下来。

2.（1）我们或者在家里享受烛光晚餐，或者和孩子们一起游戏。
15-3
（2）周末，阿里带上照相机，准备去公园拍照。

第16课 母亲水窖

1.（1）女：你怎么这么早就回来了？
16-1
男：我今天头疼，就早点儿下班回来了。你去哪儿了？
女：我去看小李了，他又住院了。
男：怎么了？他的扁桃体又发炎了？
女：这次是盲肠发炎了，他不得不做手术。
小李怎么了？

（2）女：今天陪我去趟商场吧。
男：你不是上个星期刚买的衣服吗？又要买衣服？
女：不是，我要买一台照相机。
男：你不是有一台照相机吗？
女：周末去郊游，在公园里丢了，所以不得不再买一台。
女的要做什么？

2.我是一名经理，以前我的生活很忙
16-2 碌，工作压力也很大，晚上大都要工作到12点。去年我得了一场大病，非常严重，大夫告诉我以后不能工作了。因此我不得不放弃工作，让别人替我。我以为我会受不了，没想到不工作以后，压力减轻了，心情也变好

了，每天还有时间陪家人一起吃饭，跟孩子一起度过亲子时光，所以我现在觉得很幸福。

2.（1）这里的男人大都去大城市打工了。
16-3
（2）大鲨鱼尝试几次都失败了，不得不离开了。

第17课 月光族

1.（1）女：这是你那年去西藏拍的照片吗？
17-1
男：对，那是我第一次坐火车去拉萨。
女：铁路沿线的风景不错吧？
男：对，我们不仅看到了海拔最高的淡水湖，还幸运地看到了珍稀的藏羚羊。
对话中没谈到什么？

（2）男：方方，炸酱面太好吃了，这个星期我去了三个饭馆儿，吃了三次。
女：你觉得哪家的面最好吃？
男："老北京"，不仅好吃，还很便宜。
女：告诉你吧，本杰明，只有家里做的炸酱面才最好吃。
对方方来说，哪儿的炸酱面最好吃？

2.在中国农村，很多家庭只剩下老人和
17-2 儿童。家里的年轻人都去哪儿了？他们一年十二个月都在城市里打工，每个月往家里寄一些钱。只有到了春节，他们才回家几天，跟家人一起吃顿饭。在中国，这样的年轻人数量不算少，为了改善生活条件，他们不得不选择离开家乡。

2.（1）钱，只有花出去，才是自己的。

18-3

（2）我这个月的工资不仅要支付生活费，还要交学费。

第 18 课 细心

1.（1）男：你以后想做什么工作？

18-1
女：我想当一名导游，对我来说，旅游是一件很幸福的事。

男：当导游跟旅游不一样，你需要经常去同一个地方，多没意思啊。

女：没关系，对我来说，只要能出去，就很开心。

男的觉得当导游怎么样？

（2）女：你认为要成为一个好作家，都要做些什么？

男：我觉得要多看、多听、多学习。

女：为什么呢？

男：因为你只有了解了现实，才能写出好文章。

男的认为怎么做才能成为好作家？

2.每个国家的文化和习俗都不一样，数

18-2
字文化也是这样。中国人喜欢"6"，因为"6"的意思是"顺利"；中国人也喜欢"8"，因为"8"的意思是"能赚很多钱"。中国人不喜欢"4"，这是因为"4"和"死"谐音，不太吉利。对美国人来说，他们不太喜欢"13"这个数字。有人说，这是因为"13"跟《最后的晚餐》有关系，不太吉利。你们国家的人都喜欢哪些数字？

2.（1）对会计来说，细心就是最好的

18-3
能力。

（2）你都知道哪些有名的音乐家？

第 19 课 丝绸之路

1.（1）男：喂，老同学，你还记得我吗？

19-1
女：请问您是……？您是不是打错电话了？

男：没打错，我是林木啊。

女：林木！是你啊，十几年没联系，我几乎听不出来你的声音了。

女的以前认识林木吗？

（2）男：王秘书，我记得下周一下午有一个会议。

女：是的，孙经理。下午三点，在第一会议室。

男：三点有点儿晚，两点开始吧。第一会议室太小了，把地点改为第三会议室吧。

女：好的。我改好后通知大家。

根据孙经理的建议，会议时间、地点分别是：

2.人们把80年代以后出生的人称作

19-2
"八零后"，把90年代以后出生的人称作"九零后"。一般来说，八零后和九零后没有兄弟姐妹，所以他们把朋友视为生活中最重要的人。很多八零后和九零后都是"月光族"，刚开始工作的时候，每个月的钱几乎都会被花光。

2.（1）一个德国人把这条贸易之路命

19-3
名为"丝绸之路"。

（2）今年夏天几乎没下过雨，十分
　　干旱。

第20课　汉语和唐人街

20-1

1.（1）男：今天晚上你去哪儿了？这么
　　　　晚才回来。
　　女：我去听演唱会了，都是来自
　　　　法国的歌星。
　　男：他们的歌你听得懂吗？
　　女：他们唱的歌都是我所熟悉的。
　　女的听得懂演唱会上的歌吗？

（2）女：听说您当了主持人以后，每
　　　　天要看很多来信。
　　男：是的，我每天都会收到来自
　　　　全国各地的观众的信。
　　女：您工作那么忙，自己能看完
　　　　这些信吗？

男：我家人也会帮我看，他们看
　　到好的就会告诉我。
谁写的这些信？

20-2

2.小李是一名大学生，来自杭州。她
很喜欢购物，买漂亮的衣服，参加
朋友的聚会。每个月父母给的生活费
总是不够花。她只好周末的时候出去
打工。小李所工作的地方是一家西餐
厅，做的西餐很好吃，环境也不错，
服务还很好。在这儿工作以后，小李
常常介绍朋友来这里聚会。老板不但
给她的朋友打折，还提高了小李的工
资。小李和她的朋友都很高兴。

20-3

2.（1）汉人所说的语言是汉语，所写
　　　　的文字是汉字。

（2）来自互联网的信息不一定都准确。

© 2015 北京语言大学出版社，社图号 15155

图书在版编目（CIP）数据

新概念汉语（英语版）练习册．4 ／ 崔永华主编．——
北京：北京语言大学出版社，2015.8
ISBN 978-7-5619-4247-5

Ⅰ.①新… Ⅱ.①崔… Ⅲ.①汉语－对外汉语教学－
习题集 Ⅳ.① H195.4

中国版本图书馆 CIP 数据核字（2015）第 176041 号

新概念汉语（英语版）练习册 4
XIN GAINIAN HANYU (YINGYU BAN) LIANXICE 4

排版制作：北京创艺涵文化发展有限公司
装帧设计：[美] Mila Ryk 张 静
插图绘制：刘 谱 李慧麟
中文编辑：付彦白
英文编辑：侯晓娟
责任印制：姜正周

出版发行：北京语言大学出版社
社 址：北京市海淀区学院路 15 号，100083
网 址：www.blcup.com
电子信箱：service@blcup.com
电 话：编辑部 8610-82303647/3592/3395
国内发行 8610-82303650/3591/3648
海外发行 8610-82303365/3080/3668
北语书店 8610-82303653
网购咨询 8610-82303908
印 刷：保定市中画美凯印刷有限公司

版 次：2015 年 8 月第 1 版　　印 次：2015 年 8 月第 1 次印刷
开 本：889 毫米 × 1194 毫米 1/16　　印 张：7.5
字 数：256 千字
定 价：03900

PRINTED IN CHINA